[1001 photos]

Les chiens [1001 photos]

Conçu et réalisé par Copyright
pour les Éditions Solar

Rédaction : Françoise Huart et Ségolène Roy

Création graphique : Gwénaël Le Cossec

Coordination éditoriale : Isabelle Raimond assistée de Lise Chantelauze
et Léa Chantereau

Mise en pages : Jacqueline Leymarie

Photogravure : Frédéric Bar

ISBN : 2-263-04124-9
Code éditeur : S04124
Dépôt légal : mai 2006
Imprimé en Espagne

Les chiens [1001 photos]

Sommaire

Les chiens de compagnie

Les chiens de berger

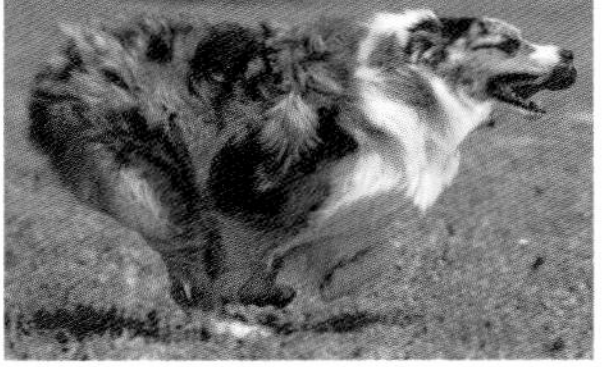

Les lévriers

Les terriers

Les chiens de traîneau

Les chiens de chasse

Les chiens d'eau

Les chiens de garde

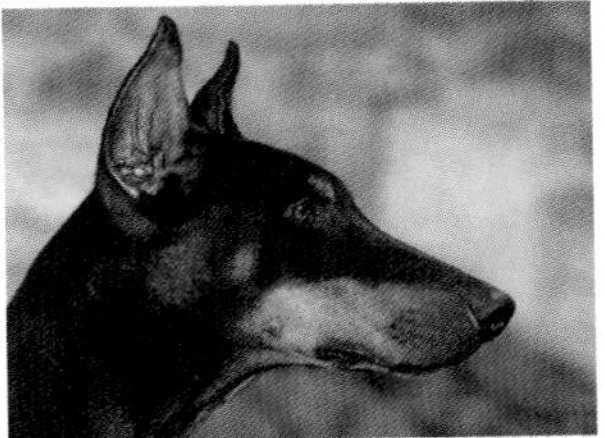

Les chiens de compagnie

Chihuahua, basenji, yorkshire et king-charles

Le chihuahua a l'immense privilège, ou handicap, d'être le plus petit chien au monde. Son nom vient d'une province du Mexique d'où il est originaire. Les Aztèques le vénéraient, mais en faisaient aussi un de leurs plats préférés... Il a l'œil vif, et ses oreilles immenses lui donnent l'air d'être constamment aux aguets.

Toujours en mouvement, il compense sa petite taille par une voix stridente. Ne pouvant affronter des ennemis ou dangers de grande taille, il sait néanmoins prévenir de la moindre chose suspecte ; ce qui l'a fait surnommer le « chien klaxon ». Le chihuahua est un chien robuste qui s'adapte à tous les climats. Cet animal « de poche » est affectueux, fidèle, voire possessif. Intelligent, il déteste la solitude.

Le basenji, de nationalité sud-africaine, a des origines qui remontent sans doute à la plus haute antiquité. On l'appelle aussi terrier du Congo. Il fut utilisé en Afrique comme pisteur dans la brousse et comme chasseur. Sa vue et son odorat sont extrêmement développés. Il est calme et affectueux.

Le yorkshire est une race relativement récente créée en Angleterre, dans le comté du Yorkshire. C'est le fameux chien au nœud dans les cheveux. Ses maîtres l'utilisent souvent comme une poupée. Il a gagné ses lettres de noblesse auprès de la « high society » anglaise après n'avoir été qu'un pauvre chasseur de rats dans un pays minier.

Le yorkshire est né de la volonté des mineurs de créer un ratier assez petit pour tenir dans une poche.

C'est aujourd'hui le chien de salon par excellence. Le yorkshire a ses têtes et, si on l'attaque, il riposte. Ce chien joueur et câlin adore la compagnie des enfants et, comme eux, il peut se montrer fantasque et capricieux.

Malgré sa petite taille, le chihuahua est fort et solide. Toutefois, en raison de la forte hausse de la demande, l'élevage s'est intensifié et a entraîné une certaine détérioration de la structure osseuse du crâne, devenue fragile. La fontanelle des chihuahuas ne se referme jamais.

Le basenji n'aboie quasiment jamais, à l'exception d'un glapissement qui ressemble à un rire. En revanche, il communique de façon très éloquente par des mimiques et des mouvements du corps.

Les mineurs écossais du XIXe siècle, pour qui le braconnage était souvent vital, utilisaient le yorkshire pour débusquer les lapins de leur terrier. Ils cherchèrent à allonger son poil par un croisement avec le bichon maltais, afin de pouvoir attraper rapidement leur chien au cas où ils seraient pris sur le fait.

[Double page suivante] Le poil du yorkshire est long, droit, brilant, d'une texture fine et soyeuse ; il réclame un démêlage quotidien.

Le cavalier king-charles a été créé par des éleveurs qui voulaient retrouver le type ancien des épagneuls nains favoris des rois d'Angleterre au XVIIe siècle.

Ce petit chien de compagnie, très répandu en Grande-Bretagne, se montre vif et doté de qualités pour de courtes chasses en plaine. Il n'en fait pas moins preuve d'un goût prononcé pour le confort.

L'épagneul cavalier king-charles, bien que de constitution robuste, craint le froid et l'humidité.

L'épagneul king-charles, d'origine espagnole, vivait déjà en Angleterre en 1570. Il doit son nom à Charles II (1630-1685), qui ne se séparait jamais du sien.
À cette époque, ce chien avait le nez plus long et était plus gros qu'aujourd'hui.

Le dalmatien a été très à la mode parmi les gentlemen anglais du XIXe siècle.

Caniche, dalmatien et bouledogue

Le grand caniche et le caniche moyen, bien que d'origine controversée (France, Danemark, Allemagne ou Italie ?), ont le label « français ». Leur nom vient de « canichon », qui désignait aussi bien un petit canard que le chien qui le chassait. Le caniche est l'expression même de la race canine : fidèle compagnon, animal toiletté, coiffé à la « zazou », choyé par ses maîtres, présentant bien, gai et joueur.

Il a de multiples dons : chien de cirque, chasseur de gibier, en passant par modèle pour les grands peintres de la Renaissance ou du XVIIIe siècle, qui le glissèrent subrepticement au bas d'une toile. Il est réputé être un des chiens les plus intelligents, taquins, vifs, avec un odorat particulièrement développé. Bref, l'ami idéal de l'homme.

Le dalmatien n'est pas un Dalmate, et ses origines ne sont sûrement pas yougoslaves, malgré son nom. Ce chien et sa nombreuse progéniture acquirent une popularité dans le film de Walt Disney *Les 101 Dalmatiens*. Les hypothèses et les désaccords sur son origine sont très nombreuses. Venu d'Asie peut-être, passé par l'Égypte, la Grèce et l'Angleterre du XVIIIe siècle, ses compétences sont multiples : messager en Dalmatie pendant la guerre des Balkans, chien de garde, de berger, de traîneau, d'aveugle, et même de trait. Curieusement, ce chien extrêmement populaire a plutôt une image de chien de luxe, attaché à des demeures nobles et séculaires. C'est un chien sans grande initiative, calme, joueur avec les enfants, mélancolique, et qui a un grand besoin de la compagnie de l'homme. Sa robe à fond blanc, tachetée de noir ou de feu, est internationalement reconnaissable. Les chiots dalmatiens naissent complètement blancs.

Le bouledogue français est, comme son nom l'indique, originaire de l'Hexagone. Par croisements successifs, on est arrivé à un chien d'assez petite taille, mais ayant les caractéristiques des dogues : grosse tête, mine renfrognée. Mais il n'a plus rien des féroces bulldogs aux babines rouges et aux crocs dehors. Ses ancêtres étaient des chiens courageux, entraînés à la chasse aux bêtes dangereuses, et des chiens de combat, cruels et agressifs. Aujourd'hui, le bouledogue français est un chien de compagnie doux, agréable, d'une fidélité exemplaire, aimant les enfants, discipliné et tranquille. Il est massif, court sur pattes, avec des muscles tendus ; il semble toujours sur la défensive alors qu'il est profondément attaché à l'atmosphère familiale et que son meilleur ami reste sans nul doute l'homme.

Le bulldog est de nationalité anglaise mais d'origine très certainement asiatique. Massif, trapu, courtaud, il a une mine plutôt patibulaire... Serait-ce dû à son passé chargé de chien de combat luttant dans les arènes contre les taureaux ? Cette tâche, ô combien ingrate, ne lui incombe heureusement plus depuis le XVIIIe siècle. Il reste tout de même un chien policier, de garde, mais aussi un excellent chien de compagnie, très doux malgré les apparences.

Le bouledogue français était surtout utilisé comme chien ratier par les commerçants, les marchands de vin et les bouchers aux Halles. Il est ensuite devenu la coqueluche de la haute société et s'est alors rapidement propagé.

Le bulldog a survécu à l'interdiction des combats contre les taureaux en 1835, grâce à des sélections pour le rendre plus doux. Malheureusement, elles ont généré de nombreux problèmes de santé.

Chez les chiots de cette race, les oreillles ne se relèvent qu'au bout de quelques semaines.

La robe du caniche change de couleur à mesure qu'il grandit et il faut attendre deux ans environ pour qu'elle prenne sa coloration définitive.

Le caniche montre de grandes aptitudes à l'apprentissage, ce qui lui vaut des numéros sur les pistes de cirque, mais aussi des fonctions de chien d'aveugle ou de dénicheur de truffes.

Il existe deux variétés de poil chez le caniche : bouclé et cordé, ce dernier type étant rare. Les cordes commencent à se former au bout de 9 à 18 mois.

Au départ, la toilette en « lion » était simplement destinée à lui faciliter la nage et à protéger son cœur. De chien de chasse dans les marais, il est ensuite devenu le « chien des dames » à partir du XVIIIe siècle.

La différence entre les diverses variétés de caniche tient à la taille. Le plus grand est le caniche royal, qui mesure de 45 à 60 cm.

À la naissance, les dalmatiens sont blancs comme neige. Les taches noires qui constituent leur « marque de fabrique » apparaissent progressivement, du 10e au 14e jour.

Bénéficiant d'une énergie inépuisable, le dalmatien a été mis à contribution en tant que chien de garde, d'attelage et de cirque. Il a également apporté son aide aux pompiers américains au XIXe siècle, en guidant les chevaux chargés de tirer les pompes à incendie.

La démarche du chow-chow est digne et fière.

Chow-chow, épagneul et terrier tibétains, carlin, shar pei

Le chow-chow est un chien du groupe des spitz comme le chien de traîneau alaskan malamute, par exemple. Les yeux légèrement bridés, le visage enfoui dans une masse de poils dont seules dépassent les oreilles pointues et un bout de museau aplati, il offre en général une mine renfrognée.

Peu exubérant, il n'obéit qu'aux ordres de son maître et peut se montrer agressif envers des inconnus. Un chien qui doit peut-être son introversion à l'histoire de ses ancêtres : il tirait des charrettes dans la Chine du XVIIIe siècle et sa chair était un mets apprécié des empereurs comme des simples coolies... C'est un grand amateur de riz.

Le carlin a l'allure d'un mini-molosse. Il vivait en Chine avant d'être importé en Europe. Son museau carré et sa tête ronde au front tout ridé le rendent à la fois un peu terrifiant et attendrissant. Son museau est très noir, son nez épaté, et son physique déroute. L'apparence est trompeuse, car le carlin est tendre, affectueux, bien que très méfiant et parfois agressif avec les étrangers. Il fut le chien favori de la marquise de Pompadour, de la reine Marie-Antoinette et de bien d'autres têtes couronnées. Il figure d'ailleurs souvent sur des tableaux de maîtres.

L'épagneul tibétain est probablement un plus ou moins proche parent du pékinois ou du carlin. Sa queue est en panache et ses oreilles sont pendantes. Surtout, ne pas le confondre avec les épagneuls bretons ou picards, car il n'a vraiment rien à voir avec un chien de chasse ! C'est un bon chien de compagnie, assez taciturne et méfiant avec les étrangers.

Le shar pei est un ex-chien de combat en Chine Ses yeux tristes et battus et sa peau aux plis de pachyderme lui confèrent charme et originalité. Tout le monde s'entend pour dire qu'il est unique en son genre.

En grandissant, le chow-chow a tendance à prendre du poids. Une crinière apparaît aussi autour de son cou.

Les chiots chow-chow,
de véritables petits oursons en
peluche, grandissent tout seuls.
Comme les adultes,
ils ont un caractère assez
indifférent et peu agressif.

En Chine, le carlin était connu sous le nom de *ba guo* (« chien ronfleur »). Sa face aplatie lui a valu le surnom de *pug* (de l'anglais *pug nose,* nez camus). Ses narines extrêmement étroites sont peu efficaces pour réguler sa température, ce qui le rend sensible à la chaleur.

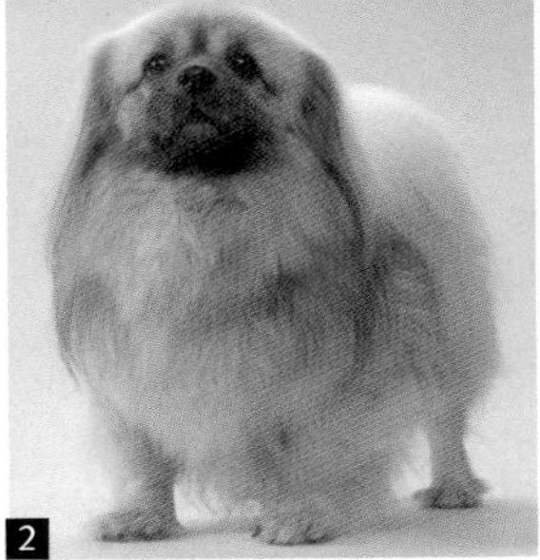

L’épagneul tibétain [2, 5] est un chien d’origine très ancienne, utilisé depuis toujours par les moines pour faire tourner les moulins à prière, mais aussi comme chien de garde.

Nommé par erreur « terrier du Tibet » [1, 3, 4, 6, 7] par les Anglais, ce berger gardait chevaux, moutons et yaks. Il peut se prévaloir de la compagnie des moines tibétains, puisque la tradition voulait qu'au lieu de tuer le chiot le plus chétif de la portée, on le leur offrît.

Le shar pei est équilibré, calme et très affectueux avec les membres de la famille. Il aime beaucoup les enfants et fait preuve d'une étonnante capacité d'adaptation. Sage et discipliné, c'est un excellent gardien à qui il convient toutefois de donner de l'exercice tous les jours.

Le shar pei a accédé à la notoriété mondiale en entrant, en 1978, dans le *Livre Guinness des records* comme le chien le plus rare du monde. Sa peau plissée, ses yeux enfoncés, ses oreilles miniatures et sa tête qui rappelle celle de l'hippopotame ne sont pas pour rien dans l'intérêt que lui portent les amateurs d'insolite.

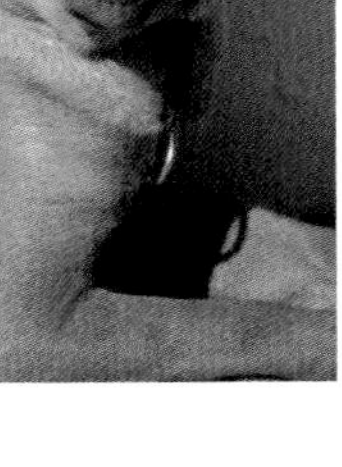

Le shar pei était utilisé à l'origine comme chien de chasse, de garde, puis de combat. Il aurait disparu sous le régime révolutionnaire de Pékin qui avait interdit les chiens, si ses derniers représentants, vivant à Hong Kong, n'avaient pas émigré aux États-Unis.

Shitzu, petit brabançon, chien nu du Mexique, spitz nain

L'opulente fourrure du shitzu lui vaut de porter toutes sortes de coiffures.

Le shitzu tient son nom du chinois et veut dire « lion » dans cette langue. Ce chien fut d'autant plus respecté par les Chinois que ceux-ci vénéraient le lion, le roi des animaux. C'est un chien qui ne fit son apparition en Europe qu'aux alentours des années trente et atteignit le sommet de sa gloire dans les années cinquante.

Il ressemble beaucoup, par son corps, au lhassa-apso, et, par son museau, au pékinois. Il est casanier et aime les intérieurs luxueux et aseptisés. Mais il est malgré tout plein d'allant et joueur.

Le petit brabançon est un drôle de mélange. Un peu de schnauzer, un peu de carlin, un peu d'affenpinscher, un zeste de yorkshire... C'est un petit chien de compagnie qui a souvent l'air de mauvaise humeur, mais qui se révèle être plutôt doux, obéissant et affectueux. Son aspect un peu « Gremlins » le rendrait plutôt attachant et sympathique. Mais attention : il n'aime pas les jeunes enfants !

Le spitz nain, ou loulou de Poméranie, est un descendant miniaturisé du grand spitz, originaire d'Allemagne, dont la race a été améliorée par les Anglais : il était auparavant quatre fois plus grand qu'aujourd'hui. C'est à la fois un excellent chien de garde et un compagnon affectueux et fidèle.

Le chien nu du Mexique est l'une des plus anciennes races connues, puisque ses origines remontent à 1500 av. J.-C. La mythologie aztèque, lui lègue le nom de « xoloitzcuintle », du dieu « Xolotl », qui accompagnait les défunts dans l'au-delà. Il fit autrefois office de bouillotte, soulageant rhumatismes et douleurs, sa température corporelle étant de 40°C, deux degrés de plus que les autres chiens. Éveillé et méfiant envers les étrangers, il est bon gardien et bon compagnon.

La fonction sacrée du chien nu du Mexique, ou xoloitzcuintle, ne lui a pas épargné d'être mangé par les Indiens, qui le trouvaient savoureux.

La peau nue et lisse est un caractère génétique dominant du xoloitzcuintle. Le « toy » peut présenter des poils.

Contrairement aux griffons belge et bruxellois, à poil dur, le petit brabançon possède un poil ras de couleur fauve roux, souvent avec masque noir, ou noire avec marques feu.

Séduite par ce chien vif et intelligent, à la fourrure abondante et aérée, la reine Victoria lança dans l'Angleterre du XIXe siècle la mode du spitz nain.

S'il fait preuve d'une certaine indépendance de caractère, le shitzu est aussi très affectueux et apprécie que l'on s'occupe de lui.

Au début de sa vie, le shitzu ressemble à une peluche avec sa fourrure duveteuse. Lorsqu'il se repose, il émet une sorte de ronronnement caractéristique.

Le coton de Tuléar vient de la ville du même nom, sur la côte méridionale de Madagascar.

Bichon, coton de Tuléar et petit chien lion

En dépit de son nom, le bichon maltais n'est pas originaire de cette île de la Méditerranée orientale, mais de terres plus lointaines, asiatiques selon certains experts. Il a cependant été sélectionné en Italie où des spécialistes situeraient la race « melita », du nom d'une île de l'Adriatique.

Tout le monde s'entend cependant pour affirmer que c'est une des races les plus anciennement connues avant notre ère : chien de garde chez les Égyptiens, chien de compagnie chez les riches Athéniennes au temps de la Grèce classique, et un des compagnons préférés de François Ier et des membres de la cour de Louis XV. L'aspect soyeux de son poil et le blanc immaculé de sa robe lui donnent une image de marque : celle d'un chien de luxe, plutôt réservé à une clientèle féminine. D'ailleurs, les femmes adorent le bichonner, le pomponner, le coiffer et le parer de petits nœuds roses dans les cheveux. C'est un chien doux et docile, affectueux, pas agressif, mais doté d'une ouïe exceptionnelle qui le met sur le qui-vive au moindre bruit.

Le bichon havanais a des origines plus qu'incertaines. Italo-maltais? Argentin-antillais? Ou un peu de tout cela ? Quoi qu'il en soit, c'est un chien rare et exclusivement de compagnie.

Le coton de Tuléar est de nationalité malgache. Proche du bichon maltais, c'est un remarquable chien de compagnie, bon nageur et marcheur.

Le petit chien lion est issu d'un croisement entre le bichon maltais, le petit barbet et peut-être l'épagneul. Ses origines connues remontent au XVIe siècle. Il doit son nom à sa crinière, qui rappelle celle du lion. Robuste et énergique, il est gai et intelligent. Cette race n'est guère répandue en dehors de la France, de la Belgique et de la Grande-Bretagne, et se raréfie depuis le XXe siècle.

Le coton de Tuléar possède une robe de texture « cotonneuse », au poil long, fin et légèrement ondulé. Elle est blanche, avec parfois, contrairement aux bichons européens, des taches jaunes, notamment sur les oreilles.

Malgré son apparence fragile, le coton de Tuléar est un sportif qui apprécie l'exercice et la promenade. Il réclame aussi un démêlage quotidien, sous peine de voir son pelage feutrer.

La coiffure traditionnelle « en lion » du petit chien lion peut faire paraître fragile un chien en réalité robuste, qui ne se laisse pas impressionner par plus imposant que lui.

Représenté sur la célèbre tapisserie de *La Dame à la Licorne,* le bichon maltais a toujours été apprécié par les grands de ce monde. Il ne faut pas se fier à son air précieux, car c'est un chien infatigable et robuste.

Le bichon havanais possède toutes les qualités du chien de compagnie : gentil, sensible, il est très attaché à ses maîtres. Il peut se montrer timide.

Le bichon havanais n'a plus les faveurs de Cuba, et se refait une popularité aux États-Unis.

Rarement blanc pur, le havanais peut être fauve ou gris, plus ou moins foncé, ou blanc mêlé de ces mêmes couleurs. Le poil, long et ondulé, a tendance à former des mèches.

Le bichon bolonais, comme son nom l'indique, vient de la ville de Bologne, dans le nord de l'Italie. Il résiste très bien à la chaleur.

Le bichon à poil frisé, l'animal favori de François Ier, est à l'origine du terme « bichonner », qui signifiait dans son sens primitif « friser les cheveux ».

Le teckel montre autant d'affection que d'entêtement et de courage.

Teckel et welsh corgi pembroke

Le ou plutôt les teckels proviennent sans doute d'un basset. Bien que de nationalité allemande, le teckel est de race très ancienne puisque l'on retrouve ses traces sur des sculptures égyptiennes. Il existe trois variétés de teckels, de tailles et de natures de poil différentes : à poil long, ras et dur.

Quelle est leur spécialité? Sa taille pourrait laisser croire que le teckel est un « toy ». Mais, en réalité, c'est un magnifique chien de terrier, spécialisé dans la chasse au blaireau ! Le public le connaît et l'appréhende comme un chien de compagnie « remuant », entêté, légèrement imbu de lui-même, un tantinet capricieux et jaloux. Malgré tous ses défauts, il est adulé par ses maîtres qui se laissent mener par le bout du nez, car ce malicieux compagnon sait se servir de son charme sans la moindre pudeur. Il n'a pas son pareil pour se faire accepter et pardonner son cabotinage et ses sautes d'humeur.

Le welsh corgi est de nationalité britannique, galloise plus précisément. Il est normalement classé dans les chiens de berger, ce qu'il était depuis la fin du Moyen Âge. En des temps plus reculés, il fut aussi utilisé comme chien de chasse. Mais sa petite taille, son allure courtaude l'apparentent, aux yeux du grand public, aux bassets. Ce petit chien cumule cependant des qualités de chien de troupeau, de gardien et de chien de compagnie. Il fait aussi partie de la cour de la reine d'Angleterre, puisque la souveraine l'a élu comme son chien « préféré » et ne se sépare jamais de son ou ses corgi, de race pembroke. Il existe en effet une autre race de corgi, le cardigan, doté d'une longue queue et d'un poil dur et court : il a une forte ressemblance avec le renard. Le pembroke, lui, n'a pratiquement pas de queue. Ces deux types de welsh corgi sont tranquilles, affectueux, dynamiques et intelligents.

La robe des teckels (ici à poil lisse) change à 2 mois. Les variétés à poil noir et brun clair conservent leur couleur tandis que celles à robe rouge s'éclaircissent et que les teintes crème passent à l'or ou au rouge.

En raison de son odorat très développé, le teckel était utilisé pour chasser le blaireau. Son nom allemand, *Dachshund*, signifie justement « chien de blaireau ». La variété dite kaninchen, qui signifie lapin en allemand, était utilisée pour débusquer les lapins dans leur terrier.

La variété de teckels à poil dur est issue d'un croisement avec des terriers et des schnauzers.

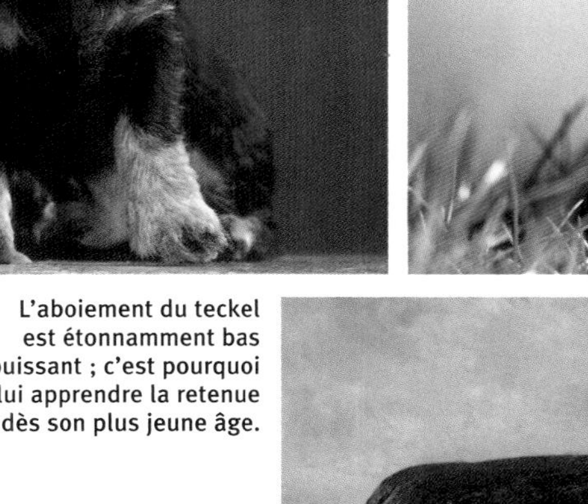

L'aboiement du teckel
est étonnamment bas
mais puissant ; c'est pourquoi
il faut lui apprendre la retenue
dès son plus jeune âge.

Les teckels à poil long sont issus d'un croisement avec des spaniels.

Cousin du cardigan, le welsh corgi pembroke se caractérise par une queue pratiquement inexistante. Cette anourie explique sa démarche un peu dandinante.

Originaire du Tibet, le lhassa-apso n'arrive en France qu'en 1949.

Lhassa-apso, pinschers nain et moyen, et schnauzer nain

Le lhassa-apso, de nationalité tibétaine, est un curieux mélange de terrier et d'épagneul tibétain. Son nom vient de la ville de Lhassa, où ce chien vivait dans des monastères tibétains et jouait le rôle de sentinelle. Autrefois sacré, il est aujourd'hui réduit à une fonction plus prosaïque : celle de chien de coussin de salon.

Il peut cependant, grâce à son ouïe très développée, avertir d'un danger imminent. C'est un chien gai, vivant et plein d'assurance.

Le pinscher nain est une variété du pinscher, lui-même un amalgame subtil de schnauzer, de dobermann et de manchester terrier. Il est à peine plus grand qu'un chihuahua, avec un museau pointu, une truffe bien noire et des oreilles en pointe. On l'appelle aussi «chevreuil» ou miniature. Peu prisé en France, c'est un chien très recherché en Allemagne et en Suisse. Sa filiation aux terriers en fait un ratier très efficace. Il est robuste, obéissant, peu encombrant, et a toutes les qualités d'un chien de compagnie.

Le pinscher moyen est de nationalité allemande et d'origine certainement très ancienne. Bien qu'il aboie hargneusement en présence d'un étranger, il n'est pas méchant. Sa voix est cependant fort dissuasive. Ce chien allie les qualités de chien de garde et de chien de compagnie.

Le schnauzer nain est originaire de Bavière, en Allemagne. C'est de son nez caractéristique (*Schnauze* signifie « museau » en allemand) qu'il tire son nom. Il vivait dans les écuries, avec les chevaux, et servait à chasser les rats, mulots et autres rongeurs. Il reste un très bon chien de garde, tout en étant affectueux et intelligent.

Le nom de ce chien viendrait du tibétain *lhasa apso seng kye*, qui signifie « chien léonin de Lhassa qui aboie bien ». Selon une autre étymologie, il tirerait son nom de sa fourrure dorée semblable à celle de la chèvre du Tibet, que l'on appelle *apso* en tibétain.

Élevé dans les lamasseries et considéré comme un animal sacré, le lhassa-apso n'est arrivé que tardivement en Europe, car son commerce était interdit.

Cette longue fourrure nécessite un brossage quotidien et un toilettage une ou deux fois par semaine.

1
2
3
4

Le pinscher nain [1, 2, 3, 4] est très souvent confondu avec le doberman miniature ou le chihuahua. Le pinscher moyen [5, 6, 7] a besoin de se dépenser et a tendance à se battre.

Le schnauzer nain est un chien vigoureux, facile à dresser, et qui tient un minimum de place.

Pékinois, cocker américain, épagneul nain continental et eurasier

Le pékinois serait l'ancien « Pa » chinois, né, selon la légende, des amours d'un lion et d'une guenon, le premier lui léguant la noblesse, la seconde son visage. Propriété exclusive de l'empereur de Chine, il resta dans la cité interdite pendant seize siècles ! Et, à la mort de son maître, il était sacrifié.

Peut-être est-ce son ancien statut d'animal mythique et de chien sacré qui lui donne aujourd'hui son aspect légèrement condescendant, cette démarche noble et dégagée et ce regard un tant soi peu méprisant. C'est un chien de luxe qui aime les intérieurs confortables, les coussins soyeux et les pantoufles à pompons de sa maîtresse, car il est très apprécié par la gent féminine. Un des plus vieux chiens du monde (sans doute plus de 4 000 ans), qui n'est guère sportif et se montre très attaché à la maison et à ses maîtres à qui il donne l'exclusivité de ses démonstrations.

Le cocker américain descend du cocker anglais. Chien de chasse à l'origine, il est aujourd'hui chien de compagnie capable de débusquer le gibier, et garde un grand attrait pour la course. Il est gai, obéissant et intelligent. Il connut la célébrité grâce au dessin animé de Walt Disney, *La Belle et le Clochard*.

L'épagneul nain continental est connu depuis le Moyen Âge. Hôte familier des cours royales et de l'aristocratie, aux XVIe et XVIIe siècles, il apparaît sur des tableaux de Rembrandt, Rubens et Vélasquez. La variété dite « phalène », à oreilles tombantes, est plus ancienne que la variété « papillon », à oreilles droites, apparue au XIXe siècle. Ce chien adore le public et a des dons de comédien. On le voit beaucoup dans les cirques.

Le papillon est une variété de l'épagneul nain continental.

À en croire certains maîtres, les chiots pékinois ont un comportement tout particulier : « À un ou deux mois, ils vous laissent faire ce que vous voulez. Vous pouvez les mettre sur le dos, ils ne chercheront pas à se retourner : ils restent comme ça, les quatre fers en l'air, en vous regardant d'un air confiant. »

Les oreilles de cet épagneul miniature, qui frémissent comme les ailes d'un papillon, se redressent, chez le chiot, entre le 3e et le 4e mois. À la naissance, les chiots possèdent une fourrure où le noir et le marron dominent, mais ces couleurs s'éclaircissent peu à peu pour laisser la place au blanc.

Le papillon a été fixé au XIXe siècle, par croisement avec un petit spitz.

L'eurasier a été créé en Allemagne dans les années 1950. Il est issu d'un croisement entre le wolf-chow et le samoyède. Gai, équilibré, fidèle, il est parfait dans son rôle de chien de compagnie.

[1, 2 et 3] Le cocker américain est plus petit que le cocker anglais, dont il descend, et sa robe est plus somptueuse et plus variée.

[4 et 5] Le phalène a les oreilles tombantes. Comme le papillon, sa fourrure abondante, longue et légèrement ondulée ne nécessite pas de soins particuliers.

Les chiens de berger

Briard, colley et collie barbu

Le colley a un sens aigu de la famille : il n'est heureux qu'à l'ombre de son maître.

Le briard ou berger de Brie est désormais très populaire en France et hors de nos frontières. Ses origines sont certainement très anciennes. Des traces de sa présence existent déjà dans le *Livre de la chasse* de Gaston Phébus, au XIVe siècle et sur certaines toiles de la fin de l'art primitif italien du XVe siècle.

D'aspect rustique, étonnamment agile et vif, il a une personnalité contrastée : remarquable gardien de troupeau et compagnon débonnaire. Mais ses talents ne s'arrêtent pas là. Ce « James Bond » de la gent canine a été utilisé comme agent de liaison pendant la Première Guerre mondiale. Il peut guider les aveugles et opérer des sauvetages en montagne. Intelligent et tendre, il est très attaché à ses maîtres.

Le colley est aussi appelé berger d'Écosse à poil long. Sans doute le résultat de drôles de croisements entre les chiens écossais, des bergers et des lévriers. Ce splendide chien a été immortalisé à jamais dans le rôle de Lassie, spécimen le plus courant avec sa robe fauve, sa crinière et son jabot. Doux et sensible, il a aussi un côté nonchalant et parfois triste. S'il résiste bien au froid et à la pluie, en revanche, il ne supporte pas la chaleur, et retrouve toute sa fougue dans les espaces ouverts.

Le bearded collie, collie à barbe ou collie barbu, est, à l'origine, un remarquable chien de troupeau, comme ses proches ou lointains cousins les autres collies, le bobtail ou le briard, avec qui il a de nombreuses ressemblances physiques. Mais son flair exceptionnel, son sens de l'initiative et son intelligence en font un berger spécialement talentueux. Il se distingue également lors des concours d' « *Agility Dog* ». Il demeure un chien britannique par excellence. On peut témoigner de sa présence sur les îles britanniques et en Écosse depuis le XVIe siècle. On suppose qu'il aurait été amené en Grande-Bretagne au moment de la conquête de celle-ci par les Romains.

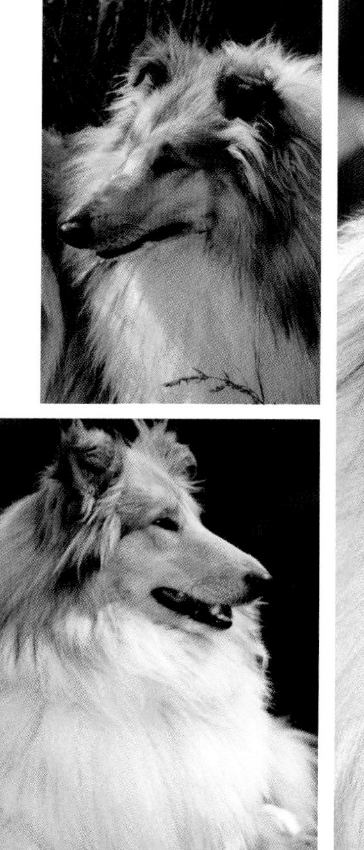

Étant facile à dresser, le colley se prête bien aux sports d'obéissance et aux épreuves d'« *agility* ». Il a besoin de vastes espaces et a du mal à s'adapter à la vie en appartement.

À mesure que les chiots colley grandissent, leur museau s'allonge, leur conférant leur aspect caractéristique, et la couleur de leur fourrure s'intensifie.

Éfficace et
indépendant,
le berger de Brie
peut garder seul 200
à 300 animaux.
Aujourd'hui,
en l'absence
de grands troupeaux,
il est moins sollicité.

Le briard viendrait d'un croisement entre le beauceron et le barbet. Ses oreilles sont petites, attachées haut et recouvertes de poils longs. Son poil est long, sec et souple.

La robe des chiots du collie barbu s'éclaircit à partir de 6 mois pour se fixer environ un an plus tard, sauf pour ceux à poil noir. Le poil finit par couvrir entièrement leurs grands yeux.

Doté d'une fourrure épaisse qui le protégeait bien du froid humide des Highlands d'Écosse, où il était souvent laissé seul avec de grands troupeaux de moutons, le collie barbu aurait, au dire de certains propriétaires, gardé de ses ancêtres son instinct de chien de berger.

La robe du berger des Pyrénées à poil long le protège des climats rigoureux.

Le berger des Pyrénées, ou labrit, est considéré comme le vétéran des chiens de berger français. Il en est de trois types : celui à poil long, le plus connu, et descendant sans doute du grand pyrénéen, celui à poil demi-long, et le berger des Pyrénées à face rase et au museau long.

C'est un chien parfaitement adapté à la montagne. Intelligent, autoritaire, parfois méfiant, il sait se faire écouter et respecter des animaux, y compris des chevaux. Son ouïe particulièrement développée en fait un excellent chien de garde. En raison de son astuce et de son flair, il a fait office d'agent de liaison pendant la Première Guerre mondiale, comme le briard. Attaché à ses maîtres et aux enfants, c'est aussi un chien de compagnie très fiable dont il faudra peut-être « gommer» les aspects rustiques d'un chien habitué aux grands espaces.

Le berger de Maremme-Abruzzes est sans doute l'une des plus vieilles races de gardiens de moutons. Son origine remonte à des millénaires. Aujourd'hui, le maremmano et le berger des Abruzzes sont considérés sous ce nom comme la même race. D'un blanc immaculé, ce chien a le regard vif et intelligent. Perfectionniste dans son travail auprès des troupeaux, rien ne lui échappe et il peut même se montrer féroce avec les ennemis du troupeau, hommes ou animaux. Habitué aux grands espaces, il n'apprécie pas d'être enfermé dans un appartement, mais son caractère facile et adaptable en fait aussi un bon chien de compagnie, à condition de le faire se dépenser. C'est un chien robuste qui résisite bien aux maladies. Il s'adapte à toutes sortes de nourriture mais ne refuse pas sa ration de viande !

Bergers des Pyrénées, de Maremme-Abruzzes, de plaine polonais, des Tatras

Très efficace, le berger des Pyrénées surveille parfois les vaches, mais surtout les moutons. Sa tâche consiste à les rassembler, les guider, les trier et les chercher quand ils s'égarent.

[double page suivante] Les yeux du berger des Pyrénées sont brun foncé, cerclés de noir et expressifs. Le poil est long sur la tête et les joues.

Le berger de plaine polonais, ou nizinny, est doté d'une mémoire exceptionnelle, ce qui facilite son dressage. Il témoigne également d'un vif sens de l'observation.

Le berger de Maremme-Abruzzes fait partie du groupe des grands bergers venus d'Orient, au même titre que le kuvasz et le komondor hongrois, par exemple.

Cousin du kuvasz hongrois, le berger des Tatras n'a peur ni du loup ni de l'ours. Il est particulièrement agile, ce qui lui permet de ramener des bêtes sur des terrains accidentés.

Le tervueren est un chien ardent, très recherché comme animal de compagnie en raison de la beauté de sa fourrure.

Le grœnendael, berger belge, est le cousin du berger allemand. Il s'en différencie par son poil noir et brillant. Il tient son nom du château éponyme, près de Bruxelles. Son allure est élégante, et il fut dès le XVe siècle l'habitué des cours royales.

C'est un chien aux multiples facettes et il faut savoir ce que l'on veut en faire : un chien de troupeau, de garde, d'avalanche ou de pistage. Très attaché à son maître, il adore les enfants et ne change pas facilement d'environnement familial. Mais il est aussi fantasque et colérique que doux et affectueux. De caractère irascible, il vaut mieux, si on ne le connaît pas vraiment, aller vers lui prudemment.

Bergers belge grœnendael et tervueren, lapinkoïra, chien des Goths

Le berger belge tervueren a été élevé dans la banlieue de Bruxelles du même nom. Il fait penser à un berger allemand à poil long. Il est plus robuste que le groenendael et partage avec les autres variétés de bergers belges un flair exceptionnel. Cette spécificité, associée à de grandes aptitudes à l'apprentissage, en fait un chien de travail réputé, utilisé comme chien d'avalanche, messager et secouriste. Il assiste également les personnes aveugles ou handicapées.

Le lapinkoïra, ou chien finnois de Laponie, est l'une des races les plus anciennes connues. Il était utilisé par les Lapons pour garder les troupeaux de rennes semi-domestiqués. Hors de Finlande, il est apprécié comme animal de compagnie.

Le chien des Goths, ou västgötaspets, est populaire auprès des Suédois. Courageux, indépendant et très sportif, il a besoin d'espace et n'est pas adapté à la vie en appartement, bien qu'il soit apprécié en tant qu'animal de compagnie.

Il faut plusieurs années pour que le magnifique pelage du tervueren, au poil dense et doux, atteigne la longueur recherchée.

La robe du lapinkoïra est de différentes nuances de gris-noir et de fauve avec des taches.

Bien que de petite taille, le chien des Goths se caractérise par son énergie et sa puissance.

Comme le tervueren, le grœnendael est sensible et susceptible à l'extrême.

Komondor, berger hongrois, bobtail

La robe cordée du komondor l'a longtemps protégé aussi bien des intempéries que des morsures de loup.

Le komondor ne ressemble à aucun autre chien avec sa toison épaisse et cordée telle de la laine brute. On ne voit rien de son museau, ce qui lui vaut l'appellation de «beau ténébreux». Rustique, fidèle, courageux et ne rechignant pas aux tâches de chien de troupeau, c'est également un exceptionnel chien de défense. Il ne craint pas de se mesurer aux loups, animaux qu'il connaît bien.

Ses ancêtres affrontaient de grands prédateurs lors des migrations asiatiques.
Malgré son apparence massive, le komondor garde une allure légère et un pas allongé. Il se repose le jour et s'active la nuit. De par son allure et son attitude sur la défensive, il inspire le respect et la peur. Sa denture très vigoureuse est redoutable. De plus, il attaque en silence. Il peut aussi se montrer très doux avec les enfants, et la police s'en sert comme pisteur dans les régions enneigées. Mais il est susceptible et boude, caché derrière sa masse de poils qui dissimule jusqu'à ses yeux. Bien qu'étant un excellent chien de compagnie, il a besoin d'exercice et d'air pur.

Le bobtail – en anglais *Old English Sheepdog* – ou encore chien anglais à queue courte, aurait comme origine lointaine des bergers, probablement importés d'Italie en Angleterre au cours de la conquête romaine. Mais rien n'est prouvé. Il est aujourd'hui considéré comme le plus anglais des bergers britanniques. Ses qualités de chien de troupeau étaient fort appréciées au temps où la garde des moutons et des étables était son activité principale. De nos jours, très recherché comme chien de compagnie, il est aussi très capable de rassembler les enfants dispersés au

cours de la promenade... C'est un chien exubérant, affectueux. Son physique, tout en étant très particulier, fait penser au briard, au bergamasque, au puli ou au komondor. Il a un air de tout ça, avec ses longs poils, sa robe dense et sa démarche souple. Chien de concours très prisé, il fut aussi maintes fois représenté sur des toiles de peintres anglais. Ce chien joueur qui, il faut le dire, tient sa place, a besoin de se dépenser et n'a, ni de par sa taille, ni de par son tempérament, la vocation d'être uniquement un chien de salon.

Le berger hongrois, ou puli, est très populaire auprès des Hongrois. Il a longtemps gardé les immenses troupeaux de moutons de la Puszta, grande prairie sauvage depuis mise en culture. Il a failli disparaître lors de la Seconde Guerre mondiale, mais a survécu à l'étranger, où certains l'emportèrent, et notamment aux États-Unis. Il est aujourd'hui moins utilisé comme berger, et s'est bien adapté à la vie en milieu urbain.

Le chiot du komondor est traditionnellement élevé parmi les moutons et se fait tondre en même temps. En Amérique du Nord, il les protège des attaques de coyotes.

Alors que le pelage du chiot n'est pas cordé, certaines cordes du berger hongrois adulte peuvent atteindre le sol.

Le bobtail est désormais devenu un chien de compagnie extrêmement apprécié, surtout des enfants, sur lesquels il semble avoir reporté son instinct de gardien de troupeau. Il n'aboie, de sa voix cassée toute particulière, qu'en cas de nécessité.

Par le passé, les chiens de travail se distinguaient des chiens de luxe par leur queue coupée, ce qui leur évitait le paiement d'une taxe spécifique. Lorsque le bobtail ne naît pas sans queue, on l'en ampute dans les premiers jours de sa vie.

À la naissance, les bobtails pèsent entre 370 et 400 grammes. Il vont pourtant multiplier leur poids par cent en l'espace d'un an. Au bout de 6 mois, le poil du bobtail a tellement poussé qu'il commence à cacher ses yeux ronds. Au bout d'un an, le poil pelucheux du chiot est remplacé par le poil double de l'adulte.

Border collie, berger catalan, berger australien et berger des Shetland

Le border collie est l'un des chiens de berger les plus efficaces. Il est doté d'un odorat subtil et d'un regard impressionnant, capable même d'hypnotiser un bovin. Sa nature profonde est de s'occuper des troupeaux. Il est donc très malheureux en appartement et supporte très mal l'inactivité.

Ce chien de berger originaire d'Écosse est infatigable et acharné à la tâche. Il est aussi sensible et attaché à son maître, dont il exécute les consignes à la lettre.

Le berger catalan ou gos d'Atura est un peu le proche cousin du berger des Pyrénées. Mêmes oreilles pointues, même poil dru et mêmes yeux rieurs et expressifs. Ce chien hirsute à l'allure bohème est un infatigable gardien de troupeau ainsi qu'un animal à tout faire : surveillance, police, liaison. Très énergique face aux autres animaux, il se montre obéissant et doux avec son maître, qualités qui lui valent d'être apprécié en tant qu'animal de compagnie.

Le berger australien est bien originaire d'Australie, mais est devenu une race américaine à part entière. La popularité du berger australien n'a cessé de croître, après la Seconde Guerre mondiale, suite à sa participation à des rodéos, concours de chevaux, films et spectacles télévisés. C'est un chien qui fait preuve d'un dévouement inégalé à sa famille, précieux dans les fermes et les ranchs américains.

Le berger des Shetland est originaire des îles du même nom au nord de l'Écosse. C'est un petit chien très bien adapté au climat rude. Il se montre très protecteur avec les enfants, ne supporte pas la brutalité et a besoin de beaucoup d'exercice.

Le berger australien, excellent compagnon, reste très rare dans les pays européens.

Le berger australien a troqué sa fonction de gardien de moutons contre celle de chien de recherche et de sauvetage.

Le caractère
du berger australien,
affectueux et joueur,
est semblable à celui
du golden retriever
et du labrador.

Le berger australien garde aussi bien les moutons que les bovins, auxquels il fait entendre son étrange cri, entre hululement et aboiement.

Le berger
des Shetland est
un animal très
intelligent, facile
à dresser, joueur
et gai.

Le flair exceptionnel du border collie lui permet de retrouver la trace des bêtes perdues, même dans le brouillard le plus épais.

Dès l'âge de 1 à 2 mois, le chiot border collie possède le caractère et la robe typiques de son espèce.

Docile, le berger catalan s'adapte à toutes les tâches et les accomplit avec vaillance.

Le poil du berger catalan est long et rude, plat ou légèrement ondulé. Il forme une barbe, des moustaches, un toupet et des sourcils développés. La queue est longue, parfois écourtée pour le travail, mais certains sujets peuvent naître anoures.

Bouviers des Flandres, bernois et d'Appenzell

Le bouvier d'Appenzell peut faire un excellent berger ainsi qu'un impressionnant chien de garde.

Le bouvier des Flandres, ce colosse à l'allure un peu rébarbative, est le chien efficace par excellence. Chien de garde, pisteur, il a été collaborateur de la police et de l'armée, notamment lors de la Première Guerre mondiale, qui a d'ailleurs failli causer sa disparition. C'est aussi un chien de garde de bovins et un chien de trait.

Son flair, son intelligence et sa force le font apprécier par tous les styles de propriétaires. Malgré ses sourcils épais et son poil ébouriffé, il est doux, calme, loyal. Dénommé « chien sale » à cause de son allure un peu « bohème » et hirsute, il est cependant l'un des meilleurs compagnons que l'on puisse trouver dans un environnement familial. Mais il ne faut pas s'aviser à toucher à ce qui lui est cher car il s'avérerait alors être un redoutable chien de défense.

Le bouvier bernois, de nationalité suisse, est surnommé « l'ourson ». Cette race descend des molosses d'Asie que les légions romaines utilisaient comme chiens de combat. Méfiant envers les étrangers, attaché à son maître, beau, énergique et intelligent, il est l'un des meilleurs bergers qui soient. Son excellente mémoire en fait un très bon chien sauveteur.

Le bouvier d'Appenzell, ou bouvier des Alpes, est de nationalité suisse. Il a longtemps accompagné les paysans suisses, dont il tirait les charrettes pour amener leurs produits au marché. C'est un excellent chien de troupeau, mais aussi un chien polyvalent hors pair : pisteur, gardien, sauveteur. Relativement peu important en taille comparé à d'autres bergers suisses, il est cependant très énergique, infatigable et très mal adapté à la vie sédentaire.

La queue du bouvier d'Appenzell est portée en spirale sur le côté, contrairement à celle des autres bouviers suisses.

La robe du bouvier bernois est tricolore, avec un fond noir, des marques feu et des plages blanches. Elle est formée d'un long poil fin, abondant et doux, légèrement ondulé mais non frisé.

Le poil du bouvier bernois est blanc sur la poitrine, le nez, les pieds et le bout de la queue.

Le pelage du bouvier des Flandres est dur au toucher, en « fil de fer », un peu ébouriffé. Un sous-poil fin et serré le protège bien du froid et des intempéries.

Les lévriers

Le saluki aurait été le chien préféré de Toutankhamon.

Saluki et whippet

Le saluki ou lévrier persan est de nationalité iranienne et de souche asiatique. Il fut sans doute importé d'Asie par les Grecs, puis d'Italie par les Romains lors de leurs conquêtes. Le saluki est le chien des contes des *Mille et Une Nuits,* nonchalamment couché sur des tapis orientaux. Compagnon privilégié des cheikhs du monde arabe, le saluki est considéré avec beaucoup d'égards.

Cette race, que les musulmans estiment sacrée, a été exonérée de la loi islamique selon laquelle les chiens sont des animaux sales. Dans les pays arabes, on ne le vend pas, mais on l'offre en signe d'amitié ou d'honneur. Il est aussi bon chasseur de gazelles qu'il est beau. Il a besoin de courir tous les jours et atteint sa vitesse maximale presque immédiatement, mais ne réagit presque jamais au rappel lorsqu'il est en chasse. C'est l'un des plus magnifiques fleurons de la race des lévriers. Il est très sensible, aussi son éducation demande-t-elle beaucoup de doigté.

Le whippet est, avec le petit lévrier italien, le plus petit du groupe, un peu comme un format miniature du greyhound. Il est de nationalité anglaise. Il a les avantages du lévrier : noblesse, élégance, finesse et rapidité, sans les inconvénients: fragilité, encombrement. C'est un magnifique coureur; sa vitesse peut atteindre 50 km/h. Comme tous les lévriers, il est beaucoup utilisé dans les cynodromes. Le nom de ce petit chien de course serait une déformation de l'anglais *whip it,* qui signifie « fouette-le », en raison des cris d'encouragement que lui lançaient ses maîtres lors des courses auxquelles il participait. Une course de whippets est d'ailleurs un spectacle très impressionnant. Malgré son apparence gracile, c'est un chien robuste, tonique, facile à vivre, sensible et joueur. Un chien de compagnie idéal si l'on respecte ses besoins de se dépenser au grand air.

Les chiots saluki se déplacent comme au ralenti, avec des mouvements élégants.

Le saluki, ce lévrier au pied léger, doté d'un odorat et d'une vue extrêmement puissants, était utilisé pour la chasse à la gazelle et au chacal. Sa course très légère donne d'ailleurs l'impression qu'il vole.

Les salukis s'entendent bien avec d'autres races de chiens, mais sont généralement méfiants vis-à-vis d'animaux inconnus. De même, leur affection exclusive pour leur maître les fait paraître distants, voire timides devant les étrangers.

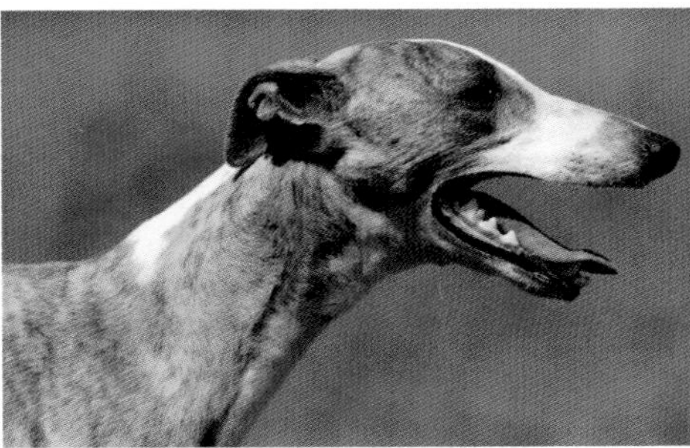

Bien que les whippets soient nés pour la course et la chasse, et qu'ils ont besoin de beaucoup d'exercice, ce sont aussi des chiens réservés et très affectueux.

Lévriers sloughi, afghan, azawakh, greyhound

La grâce, la beauté et l'élégance du lévrier afghan le distinguent lors des expositions canines.

Le sloughi, ou lévrier arabe, nous vient d'Afrique du Nord. Il est particulièrement connu en France, bien que sa nationalité soit marocaine. C'est un chien musclé, fin et élégant, à l'allure royale. Sec, osseux et de couleur claire, il se « mimétise » facilement avec les espaces sablonneux.

Il était autrefois utilisé dans le désert pour la chasse à la gazelle par les grands chefs berbères. Aujourd'hui, il est encore employé par les nomades pour la chasse et la garde. C'est un lévrier intelligent, fier et indépendant.

Le lévrier afghan, de race très ancienne, est originaire du Moyen-Orient et ne fut introduit en Europe qu'au XIXe siècle. De chasseur de loups et de chacals, il est devenu l'un des chiens de compagnie les plus appréciés et les plus chers à l'achat. Le « lévrier en pyjama », puisque on le surnomme ainsi, n'est pas obligatoirement un pantouflard ! Il aime courir, se dépenser. Il ne faut pas oublier que sa race appartient aux chiens de chasse.

Le lévrier azawakh est de nationalité française. C'est une variété du sloughi, plus répandu chez les peuples nomades, en particulier les Touaregs. Il n'est connu en Europe que depuis les années soixante-dix. Il est sec, grand et hyper-musclé.

Le greyhound, ou lévrier anglais, est synonyme d'élégance et de noblesse. Il est anglais et installé en Grande-Bretagne depuis longtemps, et bien que son origine soit sans doute orientale, voire grecque peut-être, puisque son nom serait *Greek Hound,* ou « lévrier grec ». Chien des cours royales, c'est aussi l'as de la course. L'Angleterre, qui a toujours pratiqué la course de lévriers, utilise encore le greyhound pour chasser le lièvre ou des leurres de lièvres dans les cynodromes. C'est pourtant un agréable chien de compagnie.

Les chiots du lévrier afghan atteignent leur maturité un peu tard, mais, au bout de 3 à 4 ans, ils acquièrent cet aspect de prince élégant qui fait leur charme.

Les chasseurs intuitifs que sont les lévriers afghans ont gardé le goût de la course et de la poursuite. Ils réagissent donc moins bien à l'appel et doivent être éduqués de façon très rigoureuse.

1

2

3

Ancien favori des nobles berbères, le sloughi [1-2] ne laisse pas indifférent avec sa musculature sèche, sa noble attitude et la nostalgie de son regard. Sa peau, d'une finesse extrême, est recouverte d'un poil ras de couleur sable, fauve avec ou sans masque noir, noire avec marques feu ou bringée.
Le greyhound [3], merveilleux athlète, a une silhouette aérodynamique et une robe au poil ras, fin et serré.

Rare en France, l'azawakh est remarquable par la finesse de sa silhouette et son regard de gazelle. C'est un chasseur à vue, au galop bondissant.

Barzoï et irish wolfhound

Chien national d'Irlande, l'irish wolfhound est, avec le dogue allemand, le plus grand chien du monde.

Le barzoï ou lévrier russe est le plus grand, le plus distingué des lévriers. Racé, élancé, il est le chien noble par excellence. Cet aristocrate de la gent canine était, surtout au siècle dernier, l'un des compagnons préférés des tsars de toutes les Russies, mais aussi de bien d'autres têtes couronnées d'Europe. Chien de compagnie des grandes familles impériales, il était aussi utilisé pour la chasse à l'ours.

Ses origines remontent à très loin ; en France, il a fait son apparition au Moyen Âge. Son allure altière, ainsi que son long museau et sa sérénité lui donnent parfois un air presque dédaigneux. Actuellement, c'est surtout un chien de compagnie pour lequel il faut ménager des sorties où il pourra s'ébattre à sa guise, car il a besoin d'exercice. Mais il est tout à fait à son aise dans les réceptions mondaines. Son caractère docile et réservé, sa beauté et son intelligence en font un compagnon hors pair.

L'irish wolfhound, ou lévrier irlandais, peut dépasser en taille tous les lévriers et atteindre un mètre au garrot, à l'issue d'une croissance d'autant plus spectaculaire que le chiot est très petit. Des éleveurs ont recréé la race en croisant les derniers spécimens avec des deerhounds et peut-être des dogues allemands, de manière à ce qu'il continue de grandir aujourd'hui. Il a cependant une allure moins aristocratique que ses congénères. D'aspect plus rustique, il révèle immédiatement ses origines de chasseur de loups, de cerfs, et de grands prédateurs dans certains pays comme les États-Unis. Cependant, il a failli s'éteindre en même temps que les loups, au XVIIIe siècle. C'est un chien calme, silencieux, fidèle, et loin du caractère du chien de garde malgré son physique de « dur » et sa force redoutable. Mais il n'est ni lymphatique ni neurasthénique et a un grand besoin de se dépenser à l'extérieur.

Avec son dos arqué, sa poitrine profonde et ses membres longs, droits et bien musclés, le barzoï est bien équilibré et d'une extrême élégance. Sa silhouette étroite offre peu de prise au vent, ce qui en fait un coureur au pied léger.

L'irish wolfhound est puissant, bâti en force, mais souple et agile. Son poil, rude et hirsute, forme une robe grise, noire ou blanche, fauve pâle à fauve roux ou fauve bringé.

Les terriers

Terriers gallois, tibétain, noir russe, glen d'Imaal et soft-coated

Le soft-coated-wheaten-terrier est de nationalité irlandaise. Son nom en français est terrier irlandais à poil doux. Son origine précise est mal connue. Il passe cependant pour être l'un des terriers les plus anciens. C'est un chasseur, un chien idéal en milieu rural : il chasse les petites proies, garde les lieux et les troupeaux.

Ce n'est pas le plus célèbre des terriers anglais, mais c'est un chien actif, courageux, adapté à la vie à la campagne et obéissant. Son autre appellation, « couleur des blés », lui vient de sa robe souvent de couleur blé doré. Ce chien ne fréquente pas beaucoup les concours internationaux, mais est un fidèle compagnon de l'homme.

Le terrier tibétain, ou « chien chrysanthème », serait l'ancêtre de l'épagneul tibétain, du lhassa-apso ou du shitzu. Mais il ressemble aussi à un bobtail modèle réduit. C'est un chien vif, doux et affectueux, qui n'a de terrier que le nom, puisqu'il n'a jamais chassé. De par sa taille et ses aptitudes, il est plus à l'aise dans le rôle de chien de compagnie ou, vu son aboiement sonore et son comportement souvent aux aguets, dans celui de mini-chien de garde.

Le welsh-terrier ou terrier gallois est un parent proche du fox-terrier. Il est bien sûr de nationalité anglaise, bien que de souche américaine. C'est un croisement de petits terriers avec l'airedale, dont il est la copie conforme en petit format. Il est passé d'une vie de chien très rustique destiné à la chasse à la loutre à celle de chien de compagnie sélectionné pour les concours.

Le welsh-terrier est un chien plein de vie, intelligent, toujours de bonne humeur et appréciant la compagnie.

Le welsh-terrier a plusieurs cordes
à son arc. Ses qualités, sur terre et
sous terre, sont celles d'un terrier, mais
il s'adapte aussi au milieu aquatique.
S'ajoutent à ces dons ceux d'un chien
urbain qui s'est accoutumé
aux appartements, aux enfants
et à la vie calme.

Le terrier tibétain porte un poil abondant et fin, ni soyeux ni laineux, droit ou ondulé, recouvrant un sous-poil de laine fine. Toutes les couleurs de robe sont acceptées, sauf le marron.

La robe du soft-coated-wheaten-terrier, de couleur fauve clair à fauve doré, est constituée d'un poil abondant, mou, ondulé ou bouclé, les boucles devant êtres grandes et lâches.

Très ancien, le terrier glen d'Imaal [1 et 3] traque les rongeurs. On l'utilise parfois pour chasser le blaireau et le renard. Le terrier noir russe [2], le plus grand des terriers, est un chasseur endurant et résistant au climat de son pays d'origine.

Westie, skye-terrier et cairn-terrier

Le cairn-terrier est la race la plus ancienne du groupe des terriers.

Le west-highland-white-terrier, ou terrier blanc du West Highland, est aussi un terrier basset comme le skye-terrier. Encore appelé le « westie », ce chien est une variété du cairn blanc, apparu dans certaines portées de cairn, au XIXe siècle. Il était jadis élevé dans les fermes, où il était utilisé pour la chasse aux animaux nuisibles.

Il a un air coquin, apprécie la compagnie des humains, en particulier des enfants, et a gardé de ses ancêtres chasseurs un goût immodéré pour le grand air et la campagne. Au demeurant, il reste un excellent chien de compagnie, apprécié pour sa petite taille et son caractère attachant.

Le skye-terrier est l'un des plus anciens terriers bassets. Il serait originaire de l'île de Skye, au nord-ouest de l'Écosse. Plusieurs légendes courent sur lui : venu des régions barbares, descendant d'un bichon maltais réchappé d'un naufrage espagnol. Chasseur, gardien et berger, il est aujourd'hui encore utilisé par les Britanniques pour la chasse au blaireau. C'est un chien vaillant, à la fois chasseur et chien de garde, mais aussi fidèle chien de compagnie, qui fait preuve d'une affection très exclusive.
Attention, il est susceptible et n'aime pas être trop enfermé. Malgré sa petite taille et son physique de chien de salon, ne le confinez pas dans les appartements.

Le cairn-terrier, de nationalité anglaise, fait partie des terriers d'assez petite taille. C'est un chien rustique, un bon chasseur au caractère très plaisant, vif et affectueux. Contrairement aux autres terriers, il n'est pas agressif et n'a pas spécialement besoin de courir et de chasser. C'est un très bon chien de compagnie, bien que très exclusif avec ses maîtres.

La robe du chiot cairn-terrier est moins fournie et plus duveteuse que celle de l'adulte. Peu à peu, elle s'étoffe, devient plus dure et change de couleur.

Originaire de l'ouest de l'Écosse, ce chien tient son nom des monticules de rochers d'où il délogeait les renards qui s'y cachaient car ils ne pouvaient pas creuser de terriers sur ce terrain caillouteux.

Ce chien vif et intelligent fait un bon compagnon pour les enfants. Toto, le héros du *Magicien d'Oz,* est un cairn-terrier. Comme lui, les cairn-terriers sont courageux et dotés d'une grande force de caractère.

Les chiots west-highland-white-terrier sont entièrement blancs à la naissance, à l'exception du museau et des coussinets sous les pieds, de couleur rose qui, au bout de 3 à 4 jours, se couvrent de taches noires qui s'agrandissent progressivement jusqu'à les recouvrir entièrement.

Le skye-terrier est un chien long et bas sur pattes, au poil dur, frisé et plaqué, et à la robe noire, bleu-gris, fauve.

Le staffordshire américain est particulièrement puissant pour un chien de sa taille.

Boston-terrier, staffordshire américain

Le boston-terrier a la nationalité américaine. C'est un chien au physique étonnant. Classé dans le groupe des terriers, il ressemble plus à un petit dogue avec sa face large et aplatie, ses oreilles en pointe et son poil lisse et court. De nombreux sangs coulent dans ses veines (bulldog anglais, bull-terrier, boxer et old english white-terrier) ce qui lui confère une personnalité à part.

Il était destiné au départ aux combats de chiens, qui étaient à la mode dans certaines villes américaines. Il n'a aucune des qualités de chasseur du terrier. En revanche, il est très courageux, agile et turbulent, il aime jouer avec adultes et enfants. Il est généreux et pas le moins du monde agressif. Il s'est même forgé, aux États-Unis, en Nouvelle-Angleterre, une réputation de véritable gentleman. Il s'adapte aux petits espaces, à la ville comme à la campagne. Bref, il est le « must » des chiens de compagnie, plus « toy » que terrier.

Le staffordshire américain a été créé aux États-Unis au XIXe siècle, à partir du staffordshire bull-terrier anglais, qui participait à des combats de chiens et luttait contre des taureaux. Il en a gardé une agressivité envers les autres chiens qui peut mener à la mise à mort, en raison de ses mâchoires, très puissantes et susceptibles de provoquer de graves blessures. Afin de maîtriser cette violence, il lui faut connaître la compagnie des autres chiens dès le plus jeune âge. En dépit de ce trait de caractère, le staffordshire américain sait se montrer très attentionné à l'égard des enfants aussi bien que des adultes, et faire preuve de loyauté, d'intelligence et d'obéissance. Son bon tempérament en fait un animal de compagnie très apprécié. Il peut également faire office de chien de garde, courageux, fort et agile.

De stature imposante, le staffordshire américain fait preuve d'une grande souplesse.

Le staffordshire américain a le poil court, serré, raide au toucher et luisant.

En raison de leur truffe aplatie, les chiots boston-terriers ont du mal à téter, puis à prendre de la nourriture solide.
Ils ont aussi tendance à ronfler jusqu'à un certain âge.

Le poil du boston-terrier est court, lisse et brillant. Sa robe est bringée, de couleur « phoque » (noire avec reflets roux) ou noire panachée de blanc.

L'airedale-terrier est l'un des plus grands terriers.

Airedale-terrier, fox-terriers à poil lisse et à poil dur

L'airedale est de nationalité britannique, comme la plupart des terriers. Il a hérité son nom d'une rivière du Yorkshire. Haut sur pattes, élancé et musclé, l'airedale est rapide et toujours en action. Infatigable et téméraire, il peut se frotter à beaucoup plus fort que lui. Il n'oublie pas que ses proches ancêtres chassaient l'ours et le loup.

Il se contente maintenant de cerfs, sangliers et blaireaux. Doué, il a été utilisé pour des tâches très diversifiées : agent de liaison en temps de guerre, chien de police, d'aveugle, de garde, d'assaut et de chasse à la loutre dans les marais. Aujourd'hui, il se borne à être surtout un excellent chien de compagnie qui joue au fin limier dans les couloirs des appartements...

Le fox-terrier à poil lisse, britannique, est un vrai terrier chasseur, téméraire et plutôt batailleur, dans la lignée de ses lointains ancêtres. On note en effet déjà la présence de ce chien à l'époque romaine, puis au Moyen Âge. C'est un chien indépendant, combatif et rusé, qui ne s'en laisse pas conter. Il est gai : c'est un chien « feu follet » avec un solide tempérament. Il aurait conservé le caractère et les aptitudes d'un chien depuis disparu : l'agassin.

Le fox-terrier à poil dur, son cousin, a le même caractère bagarreur et chasseur. C'est un animal élégant, musclé et un tantinet « dandy » avec sa barbichette. On note même chez lui une légère tendance au cabotinage, sans doute parce qu'il servit de modèle à Hergé pour créer Milou, le fidèle et rusé compagnon de Tintin. Les fox-terriers pourront même donner du fil à retordre à qui voudra leur résister ! Leurs talents séculaires et leur « véhémence » légendaire font d'eux d'excellents chiens de garde, querelleurs et aboyeurs.

L'airedale-terrier est curieux, émotif, tapageur. Il aime ronger et courir après tout ce qui bouge. Il reste joueur et espiègle tout au long de sa vie.

Le chiot airedale est noir, avec des taches fauve à l'extrémité des pattes et sur l'arcade sourcilière. En grandissant, son poil durcit et devient plus foncé. C'est à 6 mois qu'il prend sa robe d'adulte.

La variété de fox-terrier à poil lisse est la plus ancienne et la moins répandue. Le poil doit être droit, plat, lisse et abondant. La couleur de la robe est identique à celle de la variété à poil dur.

Les marques noires sur la face du chiot fox-terrier à poil dur s'éclaircissent progressivement pour finir par prendre une belle teinte froment, à 2 mois environ.

Ce chien téméraire et impulsif
est un chasseur d'instinct.
Il sait se faire respecter
des étrangers, mais
a la fâcheuse habitude
d'agresser les autres chiens.

Bull-terrier, border-terrier

Le caractère affirmé du bull-terrier exige une éducation stricte et précoce.

Le bull-terrier a été créé en Angleterre en 1830 par des éleveurs souhaitant disposer d'une race aussi agressive mais plus agile que le bulldog pour les combats entre chiens et taureaux, qui étaient alors très populaires outre-Manche. Aussi le bull-terrier est-il né du croisement du bulldog avec des terriers. Chien de combat, le bull-terrier pouvait se montrer cruel et sanguinaire. Depuis, il s'est «urbanisé».

Il garde certaines qualités du chien de défense tout en ayant acquis, grâce à une sélection efficace, un côté policé. Son maître doit cependant faire preuve de force physique et d'une technique éprouvée pour en tirer parti. Le bull-terrier se soumet à la discipline et, même s'il garde un caractère quelque peu obstiné, il est d'un tempérament égal et d'une grande gentillesse avec les humains. C'est un chien de compagnie dévoué et discret.

Le border-terrier était utilisé autrefois pour chasser les renards qui attaquaient les agneaux, mais aussi comme chien de garde, aux confins de l'Écosse et de l'Angleterre, d'où son nom (*border* signifie frontière en anglais). Il aurait pour ancêtres un terrier anglais disparu, le dandie dinmont-terrier et le bedlington-terrier. Le border-terrier adulte possède un crâne large, de grands yeux et des mâchoires puissantes, qui le font ressembler à une loutre. L'arrière-train est puissant, ainsi que les pattes arrière, faites pour la course derrière les chasseurs à cheval. Avec son corps long mais ramassé, le border-terrier est fait pour la course et il a besoin de beaucoup d'exercice. Il est sociable et facile à dresser. Sa gentillesse, son tempérament heureux et son attachement à son maître en font un chien de compagnie apprécié des enfants.

Le caractère équilibré du bull-terrier en fait un excellent compagnon.

Son pelage, court, plat, uni et dur, donne une robe soit blanc pur, soit blanche avec quelques taches de couleur sur la tête, soit de plusieurs couleurs avec blanc dominant.

Violent, voire hargneux à l'origine, le bull-terrier est en quelque sorte le « gladiateur de la race canine » et ne manque ni d'ardeur ni de courage.

À la naissance, le bull-terrier est plutôt allongé, mais, avec le temps, sa constitution en force devient évidente.

Une fois inculquée la discipline nécessaire, le bull-terrier devient un compagnon affectueux, équilibré, stable et fidèle.

La robe du border-terrier est composée d'un poil de couverture dur et dense, destiné à protéger ce chien chassant dans les fourrés, et d'un sous-poil serré et imperméable.

De petite taille, le jack-russel est un remarquable fouisseur pour la chasse au petit gibier.

Jack-russel, scottish-terrier

Le jack-russel-terrier est de nationalité anglaise. Son nom provient de celui du pasteur Jack Russell, «inventeur» du fox-terrier, qui a développé cette race pour la chasse, en particulier pour déloger le renard et d'autres animaux de leur tanière. Il faut dire que le jack-russel-terrier a la taille idéale pour cela. Ses articulations très souples, ses oreilles pendantes et sa robe blanche lui évitent d'être confondu avec le gibier par les chasseurs.

C'est un peu l'inconnu dans la «maisonnée» des terriers. L'éducation du jack-russel doit être ferme et commencer tôt. C'est un chien hardi et sans peur, mais il est aussi amical. Il faut préciser que ce chasseur-né a tendance à courir après tout ce qui bouge. Il faut donc veiller à ce qu'il ne se mette pas en chasse derrière les voitures ! Deux variétés ont évolué à partir de la race d'origine : le parson-russel-terrier, plus grand et plus carré, et le jack-russel-terrier, plus court sur pattes et plus long.

Le scottish-terrier est de nationalité britannique, mais typiquement écossais. Il vivait dans les Western Highlands et les Hébrides il y a une centaine d'années. Il est de couleur sombre, a une tête carrée, des oreilles bien pointues et une barbichette sous le museau, physique qui rappelle à certains un vieux colonel anglais. Bas sur pattes, terrible chasseur, le scottish-terrier est un chien robuste, résistant aux intempéries et têtu. Cependant, il se fatigue vite : il est important de lui éviter les longues promenades et surtout de le surveiller s'il joue dans l'eau, qu'il affectionne particulièrement. Téméraire, il n'a peur de rien et se révèle un bon chien de garde qui, curieusement, aboie très peu. C'est aussi, lorsque l'on a su le dresser, un excellent chien de compagnie très apprécié des enfants. Derrière son air snob, il cache un caractère gai et facétieux, une forte personnalité.

À la naissance, les jack-russel se ressemblent beaucoup, mais, en grandissant, ils n'ont pas tous la même longueur ni la même qualité de pelage, tandis que leur silhouette peut elle aussi varier.

Le poil peut être lisse, dur ou « fil de fer ». Il résiste aux intempéries.

Le poil du jack-russel est rêche, dense et serré, lisse ou dur. Sa robe est blanche avec ou sans taches de couleur. Il est encore rare en France.

Plus long que haut,
le jack-russel est fait pour
la vitesse et l'endurance.

Le scottish, bien connu des amateurs de whisky, a une allure sympathique. Son poil, dense, dur et rêche, forme une robe de couleur noire, froment ou fauve bringé. Des moustaches et des sourcils abondants accentuent encore son originalité.

Les chiens de traîneau

Le husky sibérien est avant tout un coursier, endurant et rapide.

Malamute d'Alaska, husky sibérien

Le malamute d'Alaska est le plus connu des chiens de traîneau. Les enfants l'assimilent à un loup gentil avec ses yeux fendus et sa tête large. Mais il est aussi le plus fort et le plus résistant, en parfaite harmonie avec son milieu naturel : la neige, l'espace et les grands froids. Moins rapide que le husky mais plus endurant, il est sélectionné pour les courses de traîneaux sur distance courte.

Mais c'est aussi un chasseur de caribous, de phoques et d'ours. Il doit son nom à la tribu esquimaude des Mahlemuts. De par ses origines, son mode de vie et la présence constante de l'homme autour de lui, le malamute d'Alaska est profondément attaché à la gent humaine, ce qui en fait un excellent chien de compagnie. C'est un chien puissant, courageux, avec un sens développé de l'orientation et un flair très subtil. Il est, aux côtés des héros de Jack London, l'emblème de l'aventure du Grand Nord.

Le husky sibérien fait partie du groupe des quatre chiens polaires avec le samoyède, le malamute d'Alaska et le groenlandais. Il fut, de loin, le plus prisé à cause de ses yeux bleu azur, de son énergie et de son extraordinaire foulée lorsqu'il tire les traîneaux. Avec tous ses atouts, il a longtemps éclipsé son proche cousin, le malamute d'Alaska. Originaire de Sibérie, il fut ensuite importé en Alaska au début du siècle. C'est avant tout un coursier. Affectueux, doux, attaché à son maître jusqu'à en être exagérément exclusif, il peut se montrer têtu. Il faut respecter son besoin de course, de grands espaces et de dépense physique. À ne pas garder enfermé dans un appartement. Il a beau être magnifique, ce n'est pas un bibelot. Mais il est cependant extrêmement recherché dans les concours, pour ses yeux bleus cerclés de noir...

Élevé pour travailler en meute, le malamute est un chien affectueux et amical. Compagnon fidèle et dévoué, il adore jouer.

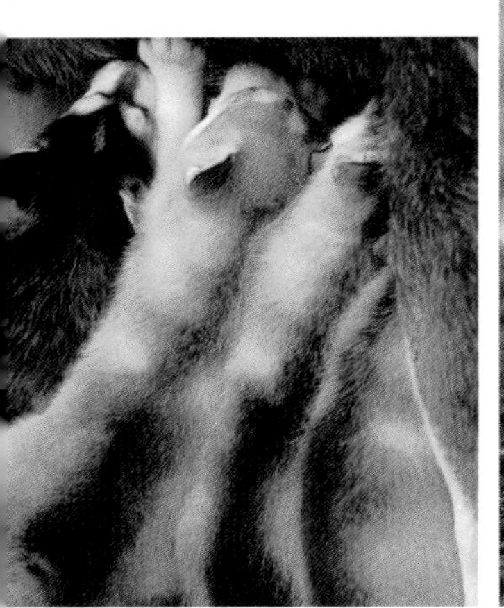

La fourrure épaisse du malamute le protège de façon très efficace du grand froid, et il peut dormir dans la neige et la glace, même lorsque la température est négative. Il enroule sa queue autour de son museau pour seprotéger des tempêtes de neige.

Les pieds du malamute sont dits à « raquette à neige », car leurs coussinets sont épais, résistants, bien rembourrés et leurs doigts séparés par une épaisse ligne de poils.

Le husky sibérien s'adapte très bien au climat tempéré. Il a besoin de beaucoup se dépenser et n'est donc pas fait pour la ville.

Le « masque » sur la face du husky – et surtout autour de ses yeux – est très visible chez le chiot, puis il diminue à partir de 4 à 5 mois, pour disparaître totalement à l'âge de 1 an.

« Husky », qui signifie « rauque » en anglais, désigne la voix caractéristique de ce chien de traîneau.

Le poil du husky sibérien est double et bien fourni. Le sous-poil est doux et dense. Toutes les couleurs sont admises, du noir au blanc pur. Les marques sur la tête ont des motifs caractéristiques.

Après avoir été développé par les Tchukchis, une peuplade apparentée aux Esquimaux de la Sibérie du Nord, le husky a été introduit au Canada vers 1900 par un marchand de fourrure pour participer à des courses de traîneaux, où il a apporté la preuve de sa vélocité et de son endurance.

Le chien esquimau canadien témoigne d'un caractère très indépendant.

Samoyède, chien esquimau canadien

Le samoyède, originaire de Sibérie, tient son nom de la population des Samoyèdes, qui l'utilisaient pour tirer les traîneaux et garder leurs rennes dans les toundras, où il était considéré comme un cadeau des anges. Vers 1890, découvert par les explorateurs britanniques ayant mené les grandes expéditions polaires en Arctique, il a été introduit en Grande-Bretagne.

C'est un chien habitué aux espaces désertiques du Grand Nord et aux tâches pénibles, à la fourrure blanche immaculée. Solidement bâti, il n'est pourtant ni méchant ni agressif malgré son mode de vie relativement dur et sauvage. Son caractère doux, affectueux et obéissant en fait un merveilleux chien de compagnie, qui se plaît avec les enfants. Son absence totale d'agressivité ne l'empêche pas d'être un bon chien de garde. Il faut noter qu'il accepte mal les ordres. En dépit de ses origines, il s'est parfaitement adapté aux contraintes de la vie urbaine et aux appartements. Mais, comme tous les spitz, et en fidèle héritier du loup boréal, il vaut peut-être mieux éviter de trop le confiner à l'intérieur. Il adore jouer dans l'eau toute l'année, mais il est très sensible à la chaleur.

Le chien esquimau canadien est utilisé depuis des milliers d'années par les Inuits pour tirer leurs traîneaux dans le nord du Canada, au-delà de la baie d'Hudson. Il fait preuve d'un caractère indépendant très affirmé, ce qui le pousse à se battre avec ses congénères pour occuper la place de chef de meute. Il a besoin d'un dressage ferme pour accepter un chef de meute humain et, même s'il supporte la présence de l'homme, c'est avant tout un chien de travail.

La queue du chien esquimau
canadien est touffue
et enroulée sur le côté.

Le poil épais entre
les doigts donne
au samoyède une bonne
prise sur la neige.
Il a aussi l'habitude,
en cas de tempête
de neige, de couvrir
sa truffe de sa queue
bien fournie.

Les babines retroussées du samoyède lui donnent l'air de sourire.

Les chiens de chasse

L'air à la fois pathétique et comique du basset hound inspire particulièrement les dessinateurs.

Le basset hound provient d'Amérique du Nord. D'origine très ancienne, il pourrait être issu d'un croisement entre un basset et un bloodhound, d'où son nom. Chien de meute au départ, il est plus utilisé aujourd'hui pour la chasse au tir.

Il est apparemment connu et apprécié depuis très longtemps, puisque Shakespeare en a parlé et que le général La Fayette en aurait offert un à Washington ! Grâce à son flair très développé, c'est un bon chasseur, utilisé aux États-Unis comme chien de compagnie. Cependant, il est préférable de lui faire fréquenter les grands espaces, car il n'est pas sédentaire. Têtu, il n'est ni toujours commode ni très liant avec les étrangers.

Les chiens courants

Le basset fauve de Bretagne est né de croisements avec le griffon fauve de Bretagne et le basset vendéen. C'est un chien de meute très ancien et spécialisé dans la courre en pays de fourrés. Bien qu'habitué à la vie des chasseurs, c'est néanmoins un chien doux et tranquille qui s'adapte à des espaces clos et sait se faire apprécier comme chien de compagnie.

Le saint-hubert ou bloodhound est de nationalité belge. C'est un chien très ancien, dont les origines remontent vraisemblablement au VIIe siècle, époque à laquelle il fut introduit dans les Ardennes. C'est sans doute le plus vieux chien de meute, et le roi Saint Louis l'employait déjà dans ses chasses à courre. *Bloodhound* signifie « chien de sang », et les interprétations sur cette appellation sont aussi nombreuses que controversées : « poursuit la proie même après la mort », « chien de pur sang », « chien habitué aux cours royales ». Il prit ce nom anglais au moment clé la conquête de l'Angleterre par les Normands, sous Guillaume le Conquérant. Il existe une légende du XIIIe siècle au sujet de ce chien : il tient son nom de saint Hubert, patron des abbés de Saint-Hubert et autrefois seigneur d'Aquitaine, qui était entré dans les ordres après une vision, sans toutefois

se séparer de ses chiens noirs préférés. Devenu évêque de Liège, il les éleva en meute dans un couvent. Lorsqu'il mourut, les moines donnèrent aux chiens le nom de leur maître.
Ce chien est l'ancêtre d'un grand nombre de chiens français. Il fut pendant longtemps l'un des meilleurs chiens courants, au flair très fin. Ces qualités lui valent d'être aussi un excellent limier capable de suivre une piste et donc de devenir un bon auxiliaire de la police. Il figure parmi les plus puissants des chiens courants, bien qu'il ne soit pas très rapide. Malgré ses lettres de noblesse, il reste docile, agréable à vivre et très apprécié en Angleterre et aux États-Unis.

Le griffon fauve de Bretagne est un chien peu connu hors de France. Il est assez court sur pattes, rustique, sans grande élégance, avec le poil hirsute et en désordre des autres griffons. Têtu comme un Breton, habile et courageux, il faisait face aux loups avec la plus grande audace. Aujourd'hui, c'est un chien courant pour petit gibier : lapin, renard ou sanglier. C'est aussi un excellent compagnon, de bonne humeur, patient et doux avec les enfants, bien qu'il soit très indépendant.

Beagle [1], basset fauve de Bretagne [2] et griffon fauve de Bretagne [3].

1

2
3

Le briquet griffon vendéen est de nationalité française. Il a, contrairement à beaucoup de chiens courants, le poil long et hirsute et la barbe fournie. Rapide, endurant, il a toutes les qualités d'un chien de meute. Mais il aime aussi la solitude et la présence de son maître, ce qui en fait un compagnon idéal. Ce chien est très sympathique, il a le regard vif et ses expressions sont attachantes. Affectueux et docile, il fera aussi un excellent chien de compagnie et ne deviendra pas neurasthénique s'il ne court pas trois heures par jour !

Le beagle est de nationalité anglaise. C'est un chien très ancien dont les origines remonteraient à l'Antiquité. Ses caractéristiques sont la portée de sa voix grave, la beauté de la couleur de sa robe et son intelligence, qui font de lui l'un des chiens courants les plus astucieux du groupe. C'est aussi le plus petit de ces chiens, ce qui ne l'empêche pas de chasser le gros comme le petit gibier. Il est téméraire et infatigable. Très apprécié aux États-Unis, il y court le lièvre, le sanglier, le renard et le chevreuil. Il participe aussi à des courses en cynodrome. Il se montre un excellent chien de compagnie, joueur et attaché à la famille.

Le beagle, avec sa silhouette bien équilibrée, fait penser à un foxhound miniature. Râblé et musclé, il dégage une impression de force et d'énergie.

Si les oreilles pendantes du basset hound le gênent pour boire et manger, elles lui sont très utiles pour capter les odeurs, notamment par des matins humides.

Le basset hound est le chien à l'allure comique par excellence, trois fois plus long que haut, à la tête imposante, aux oreilles pendant tristement et avec quelque chose de si sérieux et désabusé dans le regard que l'on dirait un clown triste

Ne vous fiez pas à son allure pataude et à son air tristounet : le basset hound est un as de la chasse à courre, où son caractère bien trempé, sa ténacité et son agilité font merveille.

Le poil de ce chien, court et lisse, recouvre une peau lâche et fortement plissée.

Le briquet griffon vendéen est une réduction harmonieuse du grand griffon vendéen. Sa robe, au poil broussailleux et rude, peut être unicolore – dans les tons clairs – bicolore – blanc et fauve ou sable – ou tricolore, le noir s'ajoutant au blanc et au fauve.

Le basset fauve de Bretagne, au caractère affirmé, est tout en os et en muscles. Sa robe est fauve, de préférence froment doré ou brun-rouge vif. Son poil est très dur, rêche et assez court.

Le poil dur du griffon fauve de Bretagne le protège de la végétation épineuse de la lande bretonne. La couleur de sa robe varie du froment doré au rouge brique.

Pur produit du terroir breton, ce griffon possède une forte personnalité. Sa vaillance et sa témérité sont légendaires, au même titre que son esprit frondeur et indépendant.

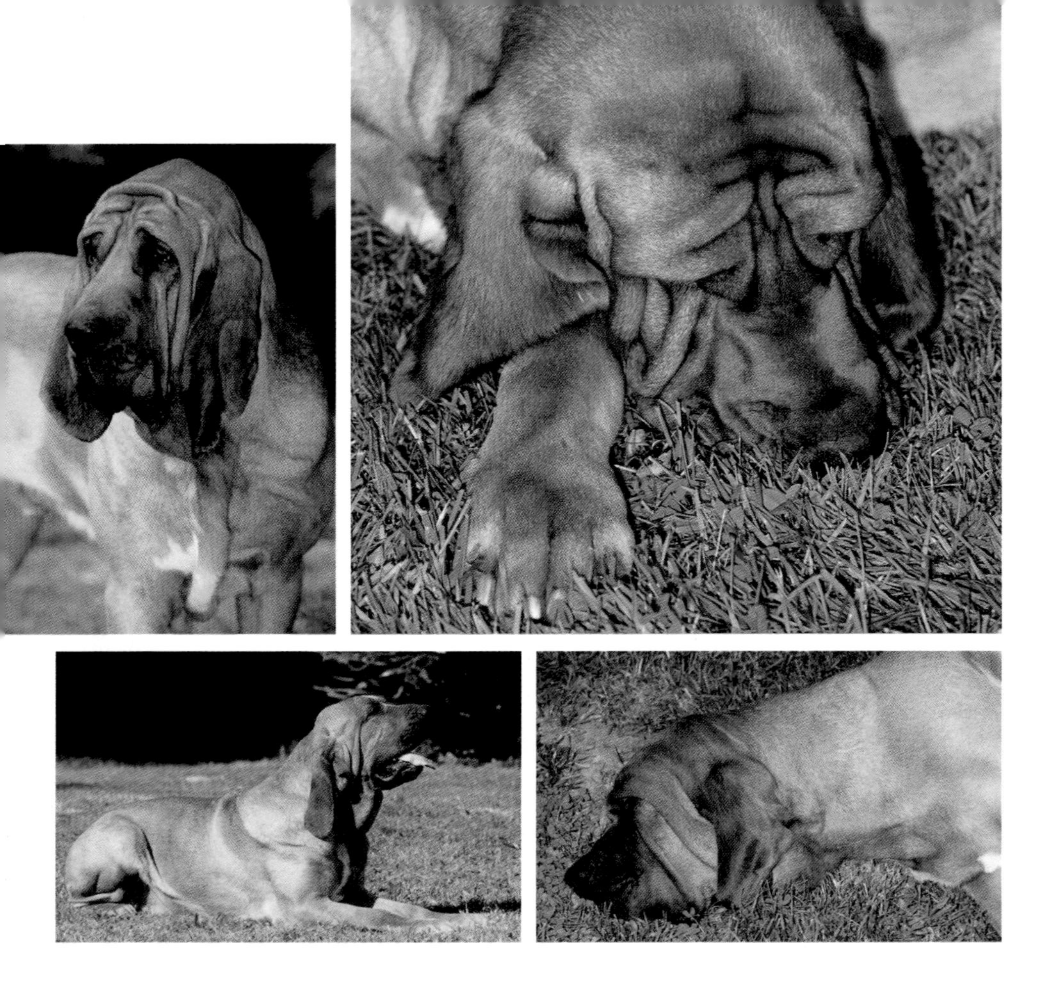

Le saint-hubert possède une grosse tête caractéristique : crâne haut et pointu, peau très lâche et profondément ridée aux joues et au front, babines fortement pendantes, fanons surdéveloppés. Son air pensif et mélancolique le rend d'emblée sympathique.

Les setters

La robe noir brillant du setter gordon lui vaut bien des admirateurs.

Le setter anglais, incontestablement britannique, a toutes les qualités des setters : beau, rapide, élégant et excellent chien d'arrêt. C'est un spécialiste de la chasse à la bécasse, peut-être le gibier à plumes le plus difficile à chasser, puisqu'elle se confond totalement par mimétisme avec son environnement. Sa vue et son flair particulièrement développés lui facilitent la tâche.

C'est avant tout un chien de chasse, apparu au moment où l'on a commencé à utiliser le fusil de chasse. Sa réputation internationale a commencé en 1860 et il a été introduit en France en 1880. C'est la race de chiens d'arrêt la plus couramment mise à contribution. Il convient toutefois de le dresser, dès son plus jeune âge, à revenir lorsqu'on l'appelle. Si on l'utilise comme chien de compagnie, ce qu'il sait être avec beaucoup de bonheur, il faut respecter ses rythmes et son besoin d'espace et d'exercice. Des sélections divergentes ont conduit à deux variétés en Grande-Bretagne : l'une, grande et élégante, étant davantage destinée à l'exposition, l'autre, plus petite et plus sportive, pour la chasse.

Le setter gordon est de nationalité anglaise et de race écossaise. Cette race a été fixée par Alexander Gordon, quatrième duc de Richmond, au début du XIXe siècle. Dans son sang coule un peu de grand épagneul, de setter noir, de collie, de setter irlandais et d'un zeste de saint-hubert... Ce setter n'a pas l'élégance de ses cousins ; il est plus rustique, mais reste un remarquable coureur de fond ainsi qu'un bon gardien. Il est à l'aise sur des terrains divers (bois, marais, plaine) et doté d'un odorat très fin. À l'arrêt, il se couche (*to set* en anglais) en attendant les ordres de son maître. C'est également un bon compagnon, facile à dresser, apprécié pour sa robe et sa bonne composition.

À la naissance, les setters (ici le setter anglais) ont généralement un pelage blanc. Les couleurs apparaissent progressivement et les teintes s'intensifient à partir de 2 à 3 mois.

De constitution robuste et d'une grande agilité, le setter gordon résiste bien à la fatigue et fait preuve d'une grande efficacité.

La poitrine profonde de ce chien lui permet de bénéficier d'une grande capacité respiratoire.

La robe du setter gordon est d'un poil de longueur moyenne, plat, sans ondulations, plus court et fin sur la tête et le devant des membres.

Les braques

Le braque de Weimar est réputé pour sa puissance et son agilité.

Le braque de Weimar est de nationalité allemande. Mais il ne faut pas le confondre avec le braque allemand. Ses origines sont très controversées. A-t-il un peu ou beaucoup du chien gris de Saint Louis, du saint-hubert ou de certains chiens d'arrêt allemands? On peut cependant dire que c'est sans doute un chien très ancien et qu'il est élégant bien que musclé et imposant.

Petit détail amusant : la variété à poil court a la queue écourtée, ce qui, sur ce grand corps de chien, est d'un effet plutôt comique. C'est avant tout un chien de chasse, avec un excellent flair et très bon à l'arrêt. En raison de sa robe – dont la nuance varie selon l'éclairage – de sa rapidité et de sa capacité à progresser rapidement et dans le plus grand silence, il est surnommé « le fantôme gris » aux États-Unis, où il est utilisé par certains services de la police. Il faut cependant éduquer cette race à la vie en société et lui donner un dressage strict.

Le braque allemand est extrêmement populaire dans son pays. Ses ancêtres sont sans doute le braque espagnol et le pointer. C'est un des meilleurs chiens d'arrêt qui soient. Rapide, il s'adapte à tous les terrains et possède un remarquable flair. Beau et efficace, il a tout pour plaire, ce qui le fait rechercher aussi pour ses qualités d'excellent compagnon de la famille et des enfants, à condition de respecter son goût prononcé pour les promenades à l'air libre. Certains de ces chiens font preuve de timidité, surtout chez la variété à poil ras.

Le braque hongrois est issu d'un croisement entre le chien courant hongrois et le chien jaune de Turquie datant du XVIIIe siècle. Il a survécu à la Seconde Guerre mondiale grâce à l'expatriation de certains Hongrois dans les années 1930. À l'origine chien d'arrêt et retriever, c'est aujourd'hui un chien de compagnie à la santé excellente.

Le braque allemand à poil court est également appelé kurzhaar (qui signifie « poil ras » en allemand). Il a la préférence des chasseurs allemands et britanniques.

Le braque hongrois est un chien de chasse de taille moyenne, au poil ras, serré, lisse et collé au corps.

Le braque de Weimar était utilisé en Allemagne au XVIIe siècle par les grands-ducs de Saxe-Weimar, pour la chasse au cerf et au sanglier.

Les braques de Weimar sont sensibles au bruit. Ils n'aboient que rarement, mais d'une voix puissante.

Le braque de Weimar a le poil dur, très épais et brillant. Sa robe est de couleur gris argenté, gris brunâtre, gris souris, ainsi que toutes les nuances intermédiaires entre ces teintes.

Les yeux bleus des chiots du braque de Weimar [1, 2, 3 et 4] tournent à l’ambre vers l’âge de 3 mois. Ces chiens très actifs dès leur plus jeune âge cherchent à mâchouiller tout ce qui passe à portée de leurs mâchoires.

Le braque de Weimar à poil long [5, 6], plus rare que celui à poil court, se distingue par un occiput plus proéminent, ce qui rend son port de tête plus digne.

Les chasseurs français ont une prédilection pour l'épagneul breton.

Épagneul et springer

L'épagneul breton est le chien d'arrêt le plus «français». Son lointain ancêtre est le «chien d'Oysel», dont parle déjà Gaston Phébus, comte de Foix, au XIVᵉ siècle. Le nom épagneul viendrait peut être du mot *s'espanir* ou *s'espaignir* (en français ou en occitan) qui voudrait dire « se coucher ».

L'épagneul serait donc le chien qui se couche au sol en découvrant sa proie. Mais cela n'est qu'une des hypothèses quant à son nom. Il reste le compagnon préféré des chasseurs de l'Hexagone, à la fois intelligent, fripon et affectueux, sensible, solide et résistant. Son gibier de prédilection est la bécasse et le faisan, qu'il déniche grâce à un odorat d'une finesse remarquable.

L'épagneul français descendrait lui aussi des «chiens à oiseaux» de Gaston Phébus. Bien que typiquement hexagonal, il l'est tout de même moins que l'épagneul breton, et sa réputation dépasse les frontières de l'Europe. Son caractère se rapproche davantage de celui du setter. C'est un excellent chien d'arrêt qui avance en zigzags. Il chasse tous les gibiers à poil et à plume sur tous les terrains, en faisant office de leveur comme de retriever.

Le springer anglais est le descendant le plus direct des épagneuls utilisés au XVIIᵉ siècle, et tient son nom de ses étonnantes capacités à bondir (*to spring* signifie « jaillir » en anglais) sur le gibier. Il faut dire qu'il dispose pour cela de reins vigoureux et de pieds assez larges. Il est d'un naturel loyal et doux. Comme tous les chiens de sa catégorie, il frétille beaucoup de la queue. Il est très sociable et adore les enfants.

Le springer gallois fait preuve d'une grange polyvalence. Il est particulièrement doué pour lever le gibier à plume. Il est extrêmement résistant et chasse sur toutes sortes de terrains, et ce, quel que soit le temps. Il est également utilisé comme berger. C'est un chien indépendant et sensible, qui se dresse facilement.

Originaire de Bretagne, l'épagneul breton a été croisé à partir du XIXe siècle avec des setters, des pointers et des springers britanniques.

Rapide et plein d'énergie, le springer a besoin de beaucoup d'espace pour se dépenser.

Concurrencé par les chiens anglais, l'épagneul breton a échappé à l'extinction au XIXe siècle, grâce à un abbé chasseur qui a su reconstituer la race telle que nous la connaissons aujourd'hui.

Longtemps confondu avec le cocker gallois, le springer gallois a été reconnu en 1902.

Cocker spaniel, rhodesian ridgeback, pointer, griffon khortals, chien d'ours de Carélie, chien norvégien de macareux

Le cocker, star des spaniels, est doté d'une grande puissance sous un petit volume.

Le cocker spaniel est le plus populaire des petits épagneuls anglais. Mais c'est aussi un chien mondialement connu. Ses ancêtres sont sûrement espagnols comme tous les spaniels. On sait qu'il fut introduit en France dès le XIVe siècle, puisque Gaston Phébus, comte de Foix, parle de lui dans son traité sur les « chiens d'Oysel » (les chiens d'oiseaux).

Ses grandes oreilles au poil ondulé, son air tendre et son tempérament charmeur font qu'il est adoré par ses maîtres qu'il mène par le bout du nez. C'est d'abord un chien de chasse, un excellent chien d'arrêt, et non un chien de compagnie. Sa spécialité, en France et en Grande-Bretagne, est la chasse à la bécasse. Il est très prisé comme chien de compagnie mais a besoin de beaucoup d'exercice et n'apprécie pas outre mesure la compagnie des enfants. Roublard et séducteur, il saura se le faire pardonner par deux ou trois battements de ses longs cils et un air à la fois tendre et fripon.

Le rhodesian ridgeback est originaire d'Afrique du Sud. Ce rabatteur de grands félins peut chasser dans des conditions extrêmes, qu'il s'agisse de climat ou de terrain. Il supporte bien le manque d'eau et de nourriture.

Le pointer, de nationalité anglaise, est l'un des plus beaux spécimens du groupe des chiens d'arrêt. Il aurait comme ancêtres le braque anglais, le braque français et le braque portugais. Ce métissage au dosage savant a donné un chien qui réunit beaucoup de qualités : beauté, noblesse, intelligence et extraordinaires performances de chasseur. Il est de la race des

seigneurs, à la fois chien d'arrêt et rapporteur. Il est aussi bel athlète qu'il est doux avec les enfants et courageux. À condition de respecter son besoin d'exercice et de grand air, il saura se montrer un excellent chien de compagnie.

Le griffon korthals, créé par un Hollandais, est un remarquable retriever. Ce chien d'arrêt est « métissé » de griffon, de setter, d'épagneul, d'otterhound et de braque allemand. Ayant hérité des qualités de tous ces chiens, il est polyvalent, et les chasseurs exploitent les nombreuses aptitudes de ce chien qui reste cependant champion de la chasse au lièvre et à la caille.

[1 et 2] Le chien d'ours de Carélie chasse l'élan, l'ours et le sanglier scandinaves. Sa robe noire et blanche tranche avec celle de la plupart des spitz nordiques.
[3, 4 et 5] Le chien norvégien de macareux escaladait autrefois les à-pics de Norvège pour chasser le macareux, nourriture des populations pauvres. Son corps est adapté à cette tâche : il possède six doigts à chaque patte, des coussinets larges, des ergots doubles et des vertèbres très souples.

Le griffon khortals a un aspect bourru mais sympathique avec sa barbe, ses moustaches et ses sourcils accusés. Il est de préférence marron ou gris acier avec des taches marron, mais peut être aussi rouanné.

Créé par les Boers, le rhodesian
ridgeback a une caractéristique
unique : une crête de poils
dressés en forme de flèche
le long de la colonne vertébrale,
d'où son nom, *ridgeback,*
qui signifie « crête de dos ».

Les chiots des pointers donnent les preuves de leurs capacités dès leur plus jeune âge. Certains sont en effet capables, à deux mois, de se mettre en arrêt de la façon spectaculaire et caractéristique de cette race.

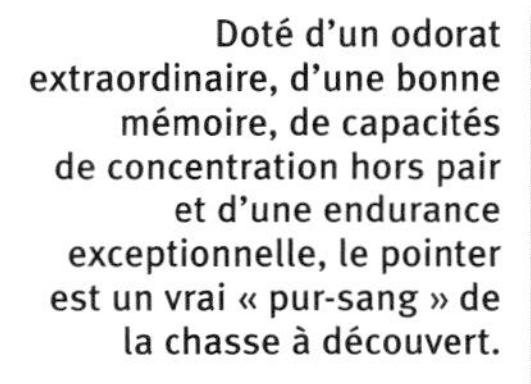

Doté d'un odorat extraordinaire, d'une bonne mémoire, de capacités de concentration hors pair et d'une endurance exceptionnelle, le pointer est un vrai « pur-sang » de la chasse à découvert.

Le cocker spaniel, dont le nom viendrait de l'anglais *wookcock*, bécasse, ou de *cock*, qui désigne le mâle des gibiers à plume, est un peu plus grand que son cousin le cocker américain.

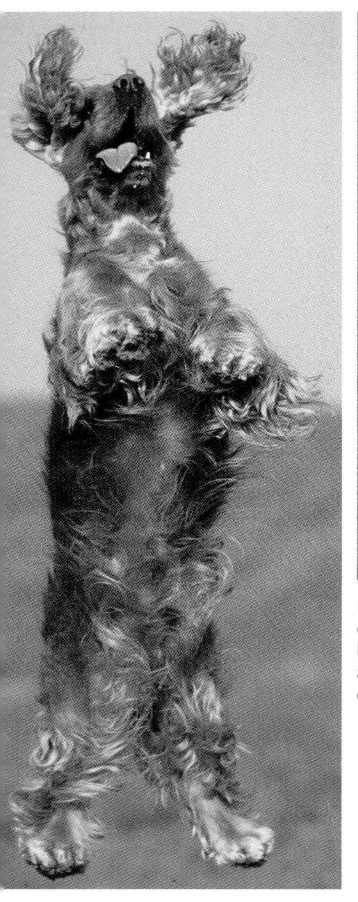

Petit, mais débordant de fougue et de vitalité, le cocker spaniel, ou cocker anglais, apprend très vite et exige beaucoup d'affection.

Ce chien fait un excellent chien de chasse, mais est aussi utilisé pour la recherche de stupéfiants.

L'introduction du cocker spaniel en France à la fin du XIXe siècle fut à l'origine d'un engouement important pour les chiens de chasse anglais.

Les chiens d'eau

Retriever et terre-neuve

La baignade est le sport favori du golden retriever.

Le terre-neuve a pratiquement le monopole du sauvetage en mer ou en eau douce. Il s'agit de l'une des races autochtones du continent nord-américain. On ne connaît pas exactement ses origines, mais il est apparu sur l'île de Terre-Neuve à la fin du XVIIe siècle. Dressé par les pêcheurs, il ramenait les filets chargés de poisson.

Son physique robuste et résistant, son sang-froid et son sens de l'initiative lui permettent d'être parfaitement à son aise dans l'eau. Tellement habitué à sortir les gens de l'eau qu'il ne laissera même pas son maître profiter des «joies» d'une baignade improvisée sans lui sauter dessus pour le ramener au rivage.

Ces qualités sont inhérentes à la race, mais le terre-neuve, pour être plus efficace, doit subir un dressage et un entraînement réguliers. À la suite de quoi il est parfaitement capable de sauter d'un canot, d'aller chercher une personne en difficulté en haute mer, de la repêcher et de la ramener sur terre en prenant son bras dans la gueule. Il doit aussi apprendre à faire ces opérations de sauvetage dans le moins de temps possible et par le plus court trajet.

Ce chien, protecteur d'instinct, est aussi courageux et dévoué que fidèle ami de l'homme lorsque ce dernier ne court aucun danger.

Le nova-scotia, ou retriever de la Nouvelle-Écosse, est intelligent, puissant et très bon nageur. Pratiquement inconnu en Europe, il a de nombreux adeptes dans son pays d'origine, le Canada. Ce chien intelligent, tenace et facile à dresser, est de plus en plus considéré comme un animal de compagnie. Il est d'un tempérament fidèle et obéissant. Il adore se faire dorloter et c'est un grand amateur de baignades. Il faut aussi lui prévoir de longues sorties ou de grands espaces afin qu'il puisse s'ébattre en toute liberté.

Le curly-coated retriever, ou retriever à poil bouclé, est l'un des plus beaux spécimens anglais de chiens rapporteurs. C'est un mélange savant de labrador, de terre-neuve et de caniche. Il possède un physique de « star ». Elégant, racé, le poil bouclé et haut sur pattes, il possède une forte personnalité, bien que les chasseurs préfèrent le flat-coated retriever. Ce chien d'arrêt et rapporteur est aussi à l'aise dans l'eau que sur la terre ferme. C'est un spécialiste de la chasse au canard. Il a dû effronter la concurrence avec le labrador et le golden retriever, au flair plus développé.

Le flat-coated retriever, ou retriever à poil plat, est de nationalité anglaise. On ne connaît pas les origines exactes de cette race, mais on sait qu'elle est le résultat d'un croisement entre le labrador et le terre-neuve, dont il hérite ses qualités de rapporteur. C'est un chien essentiellement britannique, affectueux, patient, donc un bon chien de compagnie. Il excelle à la chasse sur tous les terrains, dans l'eau comme sur la terre ferme.

Le golden retriever serait issu de vieux chiens de berger du Caucase, dressés pour se produire dans des cirques, à qui un Anglais les aurait rachetés pour les croiser avec le bloodhound. C'est de cette manière que le golden retriever aurait acquis la nationalité britannique. Il connaît aujourd'hui à travers le monde un succès similaire à celui du labrador, et reste peu connu en France. C'est un chien particulièrement doué pour rapporter le gibier, surtout le gibier d'eau. Il est également utilisé comme chien d'aveugle et dans la police. C'est un chien affectueux, calme, d'une patience d'ange avec les enfants.

Lorsque le retriever à poil plat a été présenté pour la première fois dans une exposition canine, en Grande-Bretagne, en 1859, sa robe était beaucoup plus proche de celle du labrador. En l'espace de quelques années, il a toutefois fini par acquérir son pelage caractéristique au poil épais, dense et fin.

L’éducation du golden retriever peut commencer dès 2 mois. Il est d’autant plus facile à dresser qu’il fait preuve d’une mémoire exceptionnelle.

Le poil du golden retriever est plat et ondulé avec de bonnes franges sur la poitrine, les membres et la queue.

Bien que les jeunes golden retrievers ressemblent comme deux gouttes d'eau aux labradors, leur pelage léger et doré se transforme en fourrure épaisse et soyeuse, caractéristique, au bout de 4 à 5 mois.

Le golden retriever est un chien bien proportionné, robuste et à l'allure vigoureuse.

Le nova-scotia est utilisé de façon très particulière pour la chasse : il gambade au bord de l'eau, bien en vue d'un groupe de canards, le chasseur lui lançant des bouts de bois ou une balle depuis sa cachette. Le manège du chien éveille la curiosité des canards qui s'approchent à portée de fusil. La tâche du retriever consiste ensuite à rapporter les oiseaux morts ou blessés.

Comme les autres retrievers, le retriever à poil bouclé est doté d'un flair exceptionnel et d'une fourrure imperméable.

Les pieds palmés, les membres puissants et le pelage imperméable du terre-neuve lui permettent de nager pendant des heures dans les eaux les plus froides.

Les chiots terre-neuve, dociles et semblables à de petites peluches, pèsent entre 600 et 800 grammes à la naissance. Pourtant, à 2 mois, ils dépassent déjà les 10 kilogrammes. La croissance se poursuit ensuite à un rythme plus lent. Le chien parvient à l'âge adulte à 2 ans.

Labrador

Le labrador se distingue dans la fonction de chien d'aveugle.

Le labrador, de nationalité anglaise, a une étrange histoire. Il fut ramené de Terre-Neuve par les Anglais, qui lui apprirent à faire sur terre ce qu'il faisait remarquablement dans l'eau : rapporter la proie au chasseur, en l'occurrence le gibier, et non plus le poisson échappé du filet ou les filets partis à la dérive, comme il le faisait avec les morutiers du XIXe siècle.

Râblé, assez lourdaud et gauche, la démarche dodelinante, ce chien donne une impression de force, de résistance et de pugnacité. La sélection et les croisements ont permis d'obtenir une race de plus grande taille. Il est polyvalent : chien d'eau, retriever, chien dépisteur de drogue – grâce à son flair –, chien d'aveugle et de compagnie, doux, fidèle et attaché à la maisonnée. Il a besoin de beaucoup d'exercice.

Le labrador est l'acolyte du terre-neuve. Ce chien à la peau si douce aurait, dit la légende, une loutre comme maman. Est-ce cette parenté qui en fait un aussi bon nageur ? Originaire de la presqu'île canadienne de Terre-Neuve, le labrador est à l'aise dans les eaux très froides. Son intelligence, son opiniâtreté et son passé de chien rapporteur font de lui un auxiliaire apprécié au cours des sauvetages en mer. Ses pieds palmés et sa queue dite « de loutre » ajoutent à son efficacité.

Pour devenir un aide précieux pour un handicapé moteur, le labrador est sélectionné pour sa patience, sa flexibiltié et son obéissance, et suit un dressage particulier, qui lui apprend à décrocher le téléphone, tirer sur un fauteuil roulant, ouvrir une porte ou prévenir un non-voyant qu'un véhicule arrive à vive allure. Avec un sens aigu de la communication, il ira même jusqu'à donner la liste des courses à la commerçante du quartier, en sachant que son maître n'aura pas oublié quelque petite gâterie pour lui-même.

Le poil du labrador recouvre un sous-poil imperméable et forme une robe unie noire, marron ou d'un fauve variant du roux au crème.

Le labrador possède des caractéristiques physiques qui font de lui un excellent nageur : une robe au poil court et imperméable, une queue qui rappelle, par son arrondi, celle de la loutre, des pieds ronds et compacts.

Solidement charpenté, un peu trapu, le labrador a une tête large et des membres puissants.

De caractère remarquablement équilibré, le labrador connaît un succès international bien mérité.

Le chiot labrador grandit beaucoup plus vite que les autres, et peut être dressé à n'importe quelle tâche.

Dès son plus jeune âge, le labrador montre un grand plaisir à jouer dans l'eau.

Très attaché à l'homme, le landseer se montre un remarquable sauveteur.

Landseer et chiens d'eau

Le landseer de type continental européen est encore considéré par la Grande-Bretagne et le Canada comme une variété du terre-neuve, alors que la fédération cynologique internationale (FCI) l'a reconnu comme une race distincte en 1960. Originaire du Canada, il présente les mêmes caractère et aptitudes que le terre-neuve.

Il aurait été introduit en Terre-Neuve par des pêcheurs basques et portugais qui croisèrent leurs molosses et leurs chiens d'eau avec des chiens indigènes. Fait original, le nom de ce chien lui vient d'un portraitiste animalier, sir Edwin Landseer, qui l'immortalisa dans un tableau datant de 1837. Le landseer échappa à l'extinction au début du XXe siècle grâce à des éleveurs allemands qui le croisèrent avec des chiens de montagne. C'est un chien particulièrement doué pour la pêche, la chasse au gibier d'eau et les activités aquatiques de manière générale. Il fait un bon chien de compagnie, apprécié pour son intelligence comme pour son tempérament affectueux.

Le chien d'eau irlandais compterait parmi ses ancêtres des épagneuls d'eau irlandais. Il est né au XIXe siècle du croisement entre le caniche et le setter irlandais ou le retriever à poil bouclé. C'est un excellent retriever de gibier d'eau, particulièrement doué pour la chasse au canard sauvage dans les marais ou les lacs.

Le chien d'eau néerlandais, ou chien d'eau frison, vit depuis trois siècles en Hollande, où il chassait autrefois les loutres. Rustique et endurant, il rapporte aussi bien sur le terrain que dans l'eau.

Le chien d'eau portugais vient de la province d'Algarve.C'est une race ancienne utilisée par les pêcheurs pour de multiples tâches mettant en valeur ses aptitudes à la nage : rapporter les filets, transmettre des messages d'un bateau à un autre ou au rivage, attraper les cordes ou encore garder les bateaux à terre.

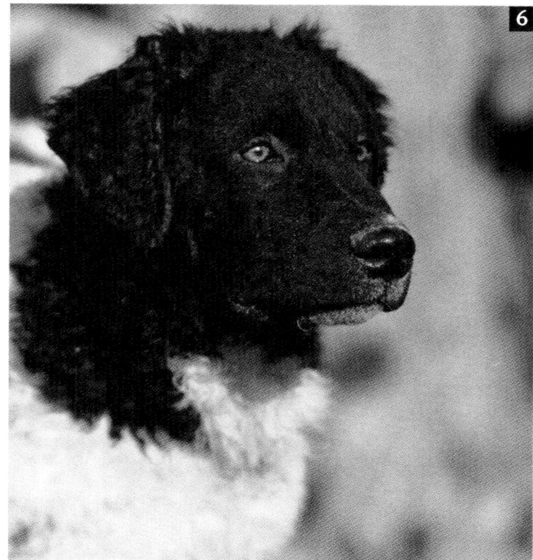

[1 à 4] Le chien d'eau irlandais, rompu au climat rigoureux des estuaires de son pays, témoigne d'une grande endurance.
[5 et 6] Le chien d'eau néerlandais, très courageux, peut se montrer agressif et indocile. Il lui faut une éducation ferme.

La traditionnelle tonte en lion du chien d'eau portugais (arrière-train rasé jusqu'à la première côte) lui asssure à la fois une protection contre le froid et des performances accrues dans l'eau.

Le landseer possède des pieds palmés, une robe au poil long, lisse et doux, moins dense que celui du terre-neuve.

La robe du landseer est d'un blanc pur, avec des plaques noires discontinues sur le tronc et la croupe.

Les chiens de garde

Le bullmastiff dégage une impression de force, mais il est doux et obéissant.

Dobermann, bullmastiff, charplaninatz

Le dobermann, de nationalité allemande, est le « must » des chiens de garde et de protection. Sa réputation n'est plus à faire. Et il suffit d'apercevoir ses crocs bien aiguisés derrière ses babines pour que cesse l'envie d'avoir affaire à lui...

La paternité de ce nec plus ultra des chiens de défense revient à un agent des impôts qui l'utilisa vers la fin du XIXe siècle comme moyen persuasif ou dissuasif auprès des contribuables... Les origines de ce chien peuvent être multiples : pinscher, dogue, rottweiler ; ce que l'on sait, c'est que la couleur de sa robe vient d'un croisement avec le manchester-terrier. Le dobermann est la figure canine mythique des chiens d'attaque, du mauvais chien, méchant et amateur de chair fraîche. La réalité est sans doute différente, même s'il reste le chien de police le plus prisé aux États-Unis.

Le bullmastiff est aussi appelé dogue anglais. C'est un chien à la fois imposant par sa tête large, son museau sombre et ses yeux perçants, mais en même temps affectueux et attendrissant, avec un côté lymphatique et indolent. Il a, il y a fort longtemps, été croisé avec des bulldogs, ce qui lui a visiblement redonné du « punch ». C'est un bon chien de garde, de police, mais aussi de compagnie lorsque l'on a su le dresser, car il est gai, intelligent et attaché à la maison et à la famille. Mais qu'un inconnu s'avise de franchir les limites raisonnables et il le regrettera amèrement...

Le charplaninatz ou berger d'Illyrie est originaire de Macédoine et d'Albanie. On l'appelle aussi charpla. Il serait le gardien le plus féroce, mais de nuit seulement. Le jour, il se métamorphose en un gentil toutou, qui peut sauter à la gorge du premier loup qui oserait s'aventurer près de ses bêtes. C'est un chien de défense et de troupeau très apprécié dans son pays.

Magnifique athlète, le dobermann est intelligent, courageux et viscéralement attaché à son maître, mais fragile sur le plan émotionnel et très susceptible. Il réclame un dressage tout en finesse.

Le charplaninatz se distingue par une longue et épaisse toison unicolore de n'importe quelle teinte comprise entre le blanc et le brun foncé presque noir.

Distinct du berger d'Istrie depuis 1929, ce chien se trouve principalement en Albanie et en Macédoine.

Très courageux et aux dents redoutables, le charplaninatz est craint des loups. Trois chiens de cette race seraient à même de tenir un troupeau de plus de 500 bêtes et de se débarrasser d'une horde de loups.

S'il réclame une certaine autorité, le bullmastiff sait aussi se faire très tendre avec les enfants et il est sociable avec les étrangers.

La robe de ce chien peut avoir toutes les nuances de fauve ou de rouge, bringé ou non. Le museau est masqué de noir.

Le bullmastiff était très populaire au temps de Richard Cœur de Lion. Il faisait office de chien de garde, de guerre et de combat. Il lui faut un dressage rigoureux, faute de quoi il risque de se montrer dangereux envers les étrangers.

Rottweiler, boxer, bergers belges malinois et laekenois

Le rottweiler est aussi appelé bouvier allemand ou « chien de boucher ». Il tient à la fois du mâtin, du dogue et de certains anciens bergers. L'histoire dit qu'il descendrait des molosses de l'Antiquité gréco-romaine. Quoi qu'il en soit, il a quitté depuis fort longtemps les terres du Sud pour s'implanter en Suisse et dans le sud du Wurtemberg où il est très répandu.

De ses ancêtres les molosses, il a conservé une morphologie puissante et trapue. Il a d'indéniables qualités physiques, doublées d'une grande intelligence, de courage et de volonté. Bon gardien de troupeau, il excelle dans la fonction de chien de garde et de sécurité. Mais il aime la famille et les enfants, qu'il défendra au péril de sa vie.

Le boxer est de nationalité allemande. Ses lointains ancêtres, germaniques eux aussi, chassaient les sangliers et les ours et veillaient sur les troupeaux. Qui s'est frotté à un boxer peut affirmer que l'on se trouve devant un chien « foufou », exubérant, fougueux et joueur, démonstratif, et qui ne craint pas de vous renverser pour vous montrer son affection... Il est intelligent, bon et très fidèle. Il peut parfaitement assurer la sécurité de la maison tout en se montrant tendre et, malgré les apparences, équilibré.

Le malinois est encore appelé berger belge de Malines. Cette race, pratiquement décimée pendant la Seconde Guerre mondiale, fut reconstituée grâce à des croisements entre malinois rescapés et des grœnendaels auxquels il ressemble. De caractère peu accommodant, têtu, il n'est pas facile à prendre, mais peut être le meilleur des chiens de garde et de compagnie.

Le berger belge malinois, très protecteur, peut être aussi bien chien de garde que d'assistance.

Le laekenois est le plus rare des quatre variétés de bergers belges. Son nom lui vient du château de Laeken, demeure royale de Belgique.

D'instinct, le berger belge malinois endosse un rôle de protecteur.

Chez le berger belge malinois (comme chez le tervueren), les poils ont une extrémité noire.

Le masque noir du malinois rappelle celui du berger allemand.

Le boxer est né du croisement entre le büllenbeisser, un chien allemand de type molosse, et le bulldog.

L'expression caractéristique du boxer et son affection sans limites expliquent sa grande popularité.

Le chiot rottweiler, avec sa large ossature, ressemble à un chien adulte en modèle réduit. Il ne faut pas se fier à son apparence câline, car son éducation n'a rien de facile.

Le rottweiler a une mâchoire et un tempérament impressionnants. Lorsqu'on ne le connaît pas, mieux vaut ne pas s'y frotter.

L'akita inu est obéissant et loyal, mais uniquement vis-à-vis de son maître.

Akitas inu et américain, mâtin de Naples, cane corso et fila brasileiro

L'akita inu, considéré comme le chien national nippon depuis 1931, descend d'un chien de chasse de la province d'Akita, sur l'île de Honshu, au nord-est du Japon. Voué à la chasse au gros gibier, il a aussi été utilisé dans des combats de chiens contre le tosa, un autre chien de combat japonais.

Pour renforcer la race, des croisements ont été effectués avec des molosses occidentaux, ce qui a réduit le nombre d'akitas authentiques. Un mouvement de préservation de cette race, qui a vu le jour au début du XXe siècle, a permis de retrouver ses caractéristiques d'origine.

Le mâtin de Naples est de nationalité italienne. Il descend certainement des molosses perses. Malgré son air placide et ses bajoues de vieillard bien portant, sans compter une sérieuse tendance à baver, c'est un redoutable chien de garde qui peut se montrer très féroce. Il faut donc penser à mater le mâtin… Sinon, gare à ses crocs !

Le cane corso trouve ses origines en Sicile, où il faisait office de chien de boucher et combattait dans l'arène. C'est le descendant d'un ancien bouvier italien, le cane di Macellaio.

Le fila brasileiro a certainement, comme son nom l'indique, des origines sud-américaines. Il résulte sans doute de croisements entre des mâtins amenés par les conquérants du Nouveau Monde et des bulldogs ou des mastiffs. Les conquistadores utilisèrent son flair très développé pour poursuivre les fuyards et les Indiens esclaves. C'est un excellent berger et un chien de garde féroce, à tel point que certains pays l'interdisent sur leur sol. C'est une « bête à concours », certes, mais qui n'apprécie guère les civilités urbaines. Il leur préfère les grands espaces et la vie rustique.

Connu depuis l'Antiquité dans tous les pays méditerranéens, le mâtin de Naples s'est même «produit» dans les arènes au temps des Romains.

Chez le cane corso, les muscles des antérieurs sont plus accentués que ceux de l'arrière-train.

L'akita inu est un chien indépendant et fier, parfois fougueux, qui doit être élevé avec une fermeté reposant toutefois sur la confiance.

Imposant et élégant, l'akita inu possède des oreilles dressées et une queue en tire-bouchon, appelée « spire », ainsi qu'une face qui rappellerait, dit-on, le visage des aristocrates japonais de la période classique.

L'akita inu ne fuit pas la compagnie des étrangers, mais uniquement s'il est en présence de son maître.

Le fila brasileiro possède une allure imposante et une démarche très caractéristique, à la fois souple et élégante.

La robe de ce chien, d'un poil court et doux, peut porter toutes les couleurs, la plus fréquente étant le fauve bringé.

Solidement bâti, le fila, chien national brésilien, a une tête large et carrée pourvue d'un important fanon (pli de la peau sous l'encolure).

L'akita américain provient des spécimens de l'akita inu ramenés par les militaires américains à l'issue de la Seconde Guerre mondiale.

Équilibré, le leonberg n'aboie qu'en cas de danger immédiat.

Berger allemand, saint-bernard, leonberg, schnauzer géant

Le berger allemand, très populaire, est le chien polyvalent par excellence, gardien de troupeau, chien de liaison, de sauvetage, policier, d'aveugle, il a toutes les qualités et l'intelligence requise pour s'accoutumer à tous les types de situations.

Très adaptable, il peut, s'il est dressé, devenir un redoutable chien d'attaque et de défense. Mais il sait aussi se montrer doux et tendre avec les enfants, fidèle et obéissant. Le berger allemand est aussi partout où survient une catastrophe : tremblement de terre, explosion, fuite de gaz, etc. Comme le boxer, ce chien est capable de trouver une victime, de prévenir son maître, de déterrer quelqu'un d'une coulée de lave refroidie ou d'une épaisse couche de boue, d'aboyer pour prévenir qu'une personne est ensevelie sous des décombres, d'alerter les premiers secours, tout cela y compris en pleine nuit.

Le saint-bernard, paré d'un brassard de la Croix-Rouge sur le ventre, est à lui seul le symbole de la Suisse. Barry (son nom en patois allemand et qui signifie «ours») est populaire depuis le XIXe siècle, durant lequel il a sauvé une quarantaine de personnes. Avec un flair très fin, une résistance à la fatigue et aux intempéries tout à fait remarquable, il est d'une grande intelligence et fut le « roi » des sauveteurs de montagne.

Le leonberg serait issu des dogues tibétains, ou bien du croisement entre terre-neuve et saint-bernard. Napoléon III et Bismarck ont possédé ce chien d'apparence léonine. Particulièrement doux et affectueux, c'est le protecteur inné des enfants, dont il recherche d'ailleurs souvent la compagnie.

Élevé à l'origine pour garder les moutons dans les régions montagneuses de l'Allemagne, le berger allemand doit son nom de « chien-loup » à sa grande ressemblance avec son cousin sauvage.

S'il est doté de qualités hors pair, le berger allemand, au caractère dominateur, doit être dressé de main ferme par un maître qui lui apprendra l'obéissance.

L'inconvénient majeur
du berger allemand
est qu'il peut avaler jusqu'à
700 grammes de viande
par jour !

Le leonberg tient son nom de la petite ville de Leonberg où un éleveur réputé, Heinrich Essig, a voulu obtenir un chien au pelage fauve en l'honneur de l'emblème de sa ville.

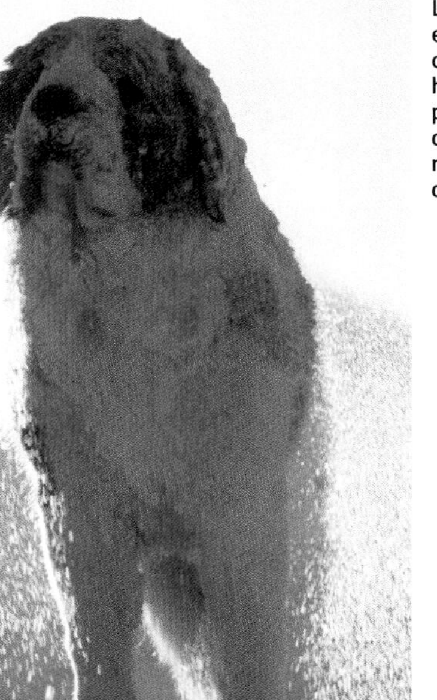

Le saint-bernard est capable de retrouver un homme enfoui sous plusieurs mètres de neige et de le repérer à 50 mètres de distance.

Lourd et puissant (certains peuvent atteindre 100 kilogrammes), le saint-bernard est l'un des chiens sauveteurs les plus grands du monde. Ses pieds larges et bien cambrés lui donnent une bonne prise sur la neige.

Le schnauzer géant, intelligent, très facile à dresser et à l'odorat fortement développé, a été utilisé par l'armée durant les deux guerres mondiales.

Pour obtenir un chien d'aussi grande taille que le schnauzer géant (60 à 70 centimètres), les éleveurs ont croisé des schnauzers moyens avec des dogues allemands et des bouviers des Flandres.

Ce chien est affectueux, dévoué, courageux, vigilant, vif, mais non remuant.

Les dogues

Le dogue allemand est aussi appelé le danois. Est-ce parce qu'on le trouve déjà en Grèce antique ou à cause de sa grande beauté qu'il fut baptisé « Apollon des chiens » ? Ses origines sont controversées, mais tout le monde convient que c'est l'un des plus beaux spécimens de la race canine.

Haut sur pattes, élancé, musclé, il possède un fort tempérament. Le dogue allemand peut, pour veiller sur la maisonnée, sauter à la gorge d'un malfaiteur et le tuer avec le plus grand sang-froid. Mais disons que cette « agressivité » n'est que conjoncturelle : dans des circonstances normales, c'est un chien affectueux et équilibré. Il reste l'un des meilleurs chiens de garde et de protection.

Le dogue tibétain est de nationalité anglaise. C'est le dernier représentant des molosses primitifs. De par ses origines, il a bien évidemment une morphologie très puissante. Le vrai dogue du Tibet existe encore dans les montagnes de l'Himalaya, et les bonzes l'utilisent comme chien de protection. Ce chien a été importé en Angleterre et, par des croisements, est née la version « british » du dogue tibétain : le tibetan mastiff. C'est, au demeurant, un chien énorme, massif, avec des mâchoires impressionnantes et une tête large et bombée. Sa réputation est celle d'un chien féroce, tout au moins dans sa version tibétaine. La variante occidentale est plus malléable, moins agressive, et se prête mieux à la vie policée.

Le dogue de Bordeaux a des origines très controversées. Est-il fils des molosses, des chiens espagnols, des dogues ou des chiens d'Aquitaine ? Son allure est celle d'un énorme boxer. Même museau renfrogné, aplati et plissé ; même tête carrée, même musculature puissante et même aspect faussement féroce. Car ce colosse sait se montrer d'une douceur extrême avec les enfants. Très joueur, mieux vaut cependant ne pas se faire renverser par lui. Sa force est dissuasive, et son courage en fait un bon auxiliaire de la police.

Le dogue de Bordeaux peut se montrer aussi doux que féroce.

Si, à la naissance, le dogue allemand n'est pas plus grand qu'un chaton, il grandit à une vitesse vertigineuse pour atteindre la taille d'un veau à l'âge adulte.

Le dogue argentin, très rare, a été créé en 1910 par un croisement entre le chien de combat de Cordoue et toute une série de races censées lui conférer des qualités en matière d'odorat, d'équilibre, de courage, de force, de taille et de couleur. Il ressemble de loin à un labrador blanc. Le dogo, tel qu'on l'appelle en Argentine, était utilisé pour chasser le grand gibier : puma, jaguar et sanglier. Ses qualités de gardien et de chien de chasse ne l'empêchent pas de faire un bon compagnon pour la famille et les enfants. Il doit cependant suivre une éducation rigoureuse qui maîtrise son esprit d'indépendance et sa volonté très marquée.

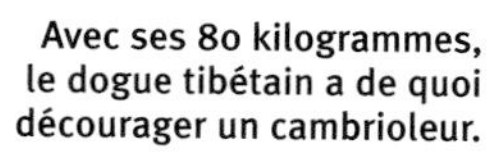

Avec ses 80 kilogrammes, le dogue tibétain a de quoi décourager un cambrioleur.

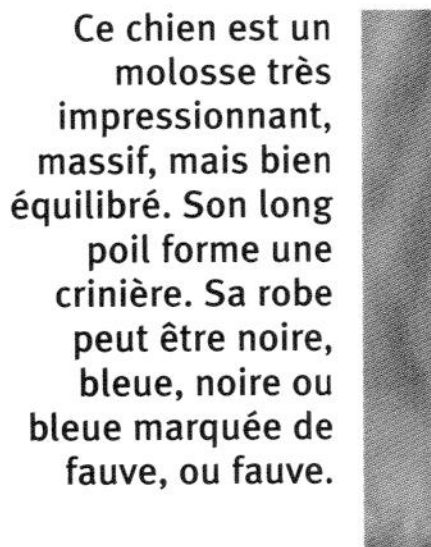

Ce chien est un molosse très impressionnant, massif, mais bien équilibré. Son long poil forme une crinière. Sa robe peut être noire, bleue, noire ou bleue marquée de fauve, ou fauve.

La robe du dogue de Bordeaux est acajou ou fauve, avec un masque rouge ou noir bien accentué. De légères taches blanches sur le poitrail et les pieds sont autorisées.

L'éducation du dogue argentin doit commencer dès son plus jeune âge, avec tact et douceur.

Index

A

B

Berger allemand

Berger des Shetland

Bichon havanais

Bull-terrier

C

Caniche cordé

Cocker spaniel

D

E

F

G

Malamute d'Alaska

H

I

J

K

Labrador

Lhassa-apso

L

Saint-bernard

Retriever de la Nouvelle-Écosse

Retriever à poil bouclé

R

S

Schnauzer géant

T

Samoyède

V

W

Springer gallois

X

Y

[1] Setter gordon [2] Setter anglais [3] Pékinois [4] Bullmastiff

Remerciements

Le photographe Yves Lanceau tient à remercier chaleureusement tous les éleveurs, professionnels ou amateurs, qui ont bien voulu lui consacrer du temps. Une mention particulière à mes assistants et collaborateurs : Jérôme Bétant, Guillaume Elwart, Anne-Laure Malgonne, Isabelle Masson-Deblaize, Catherine Thoraval. *(Ma mémoire n'est hélas pas infaillible, et que ceux qui ne sont pas cités veuillent bien m'excuser.)*

Agoutin Jean-Claude
et Mme André Eliane
Aubaux Roselyne, Claude
et Pierre
Auriant Mr et Mme
Avilez Antoine
Baille C.
Barbau Robert
Berthold Anita
Bertron Jacques
Bourg Jean-Baptiste
Bourgeois Françoise
Bouvret Yvette
Bruguet Odile
Caillard Denys
Carrier Muriel et Gérard
Casteran Martine
Chaplain Mr et Mme
Chevallier Thierry et Christiane
Clipet Gérard et Marie-Line
Closerie Saint-Nicolas
Coët Bruno
Crouillebois Mr et Mme
Cuny Marie-France
Damman Brigitte
Danjoux Nady
De Bellescize Frédérique
Decaudin Josiane et Stéphanie
Delanou Cyril
Delaunay Liliane
Denon Valérie
Denoues Emmanuelle
Di Matteo Jacky
Dugue B.
Dupond Ludovic
Easley Mme
Fauchet Brigitte
Galicier Christian
Grappin Pascal
Gravelines Jean
Guillet Andrée et Marcel
Hasbrouck Michel
Heck Bruno
Heger Annick
Hinque Pascal et Mme
Joubier Evelyne
Juttaud Jeannine
Kluber Gérard
Lambert Alain
Laurent Annick et Michel
Lecacheux Chantal
Le Corre VivianeLeguluche Mme et
Stéphanie
Leith Ross Felicity
Lhuillery Chantal
Lladeres Françoise
Le Paih Thire
Le Pape C.
Moço Florence
Natthorst Martine
O'Connor Ruth et Mlle
Payancé Patrick
Pellieux Patrick
Penvern Jean-Yves
Pichon Christophe
Poirier Émilie
Pontiès Anne
Ragonnet Jacques
Ramacciotti Catherine
Rey Rose
Rialland Michel
Ribault William et Simone
Rives Viviane
Rodet Magali
Rouquette
Schevbez Michel
Schloupt Monique et Dominique
Specty Michel
Sydney Guy
Tachon Dominique
Thomas Françoise
Tordu Géraldine
Tribu Mme et Mlle
Valérie Marie-Jeanne
Wallois Olivier, Mathilde
et Lucas
Zivot Mlle

Toutes les photographies de cet ouvrage sont
de Yves Lanceau.

Achevé d'imprimer en mai 2006
Imprimé en Espagne